Eifion Lloyd Jones

Lleucu

y Lolfa

I LEAH, ER MWYN LLEUCU

Y BATH

Fu hi erioed mor gyfyng â hyn arna i o'r blaen. Rydw i'n sylweddoli fod petha wedi gwaethygu dros y misoedd diwetha, ond mae hi'n mynd yn draed moch yma, rŵan.

Roedd hi'n ddigon annifyr cael fy siglo bob sut yn yr hen fath 'ma, ond o leia ro'wn i'n gallu nofio ar y dechra. Pan ddechreuais i gyffwrdd dau ben y bath yr un pryd y deallais i fod petha'n mynd yn flêr.

Doedd dim cyfle i ymarfer corff o gwbl, wedyn: dim ond cael 'y nghaethiwo'n dynn gydol yr amser. Ond ddim yn llonydd, chwaith, gan fod y bath yn ysgwyd yn aml—weithia'n dyner ac weithia'n bur ffyrnig; cael fy siglo i gysgu ro'wn i bryd hynny, ran amla, gan ddeffro pan fyddai'r bath wedi llonyddu.

* * * * *

Mi ges i andros o fraw y dydd o'r blaen—ac rydw i'n diodde byth oddi ar hynny. Roedd hi'n teimlo fel pe bai rhywun yn ceisio ail lunio ffurf a maint y bath. Ro'wn i'n cytuno fod angen ei ymestyn o, er mwyn i minna gael sythu braich a choes, ond yn lle hynny, y canlyniad oedd ei bod hi'n saith gwaeth arna i.

Dyma fi'n hongian wyneb i waered ers y gyflafan, a 'mhen wedi'i ddal mewn feis. Mi faswn i'n taeru fod rhywun yn ceisio 'ngwthio i lawr rhyw dwll—rhyw dwll yng ngwaelod y bath na wyddwn i ddim am ei fodolaeth o tan rŵan. Dyna pam y dwedais i ei bod hi'n gyfyng arna i. Oes yna neb yn deall nad ydw i eisiau mynd i lawr y twll 'ma? Does 'na ddim lle i mi yn y beipan, nac oes? Mae hynny'n hollol amlwg.

Rydw i wedi 'nal, rŵan. Ddo i byth o fan 'ma. Does dim posib symud ymlaen nac yn ôl. Diolch i'r drefn nad ydw i'n gorfod anadlu. Mi fydda'r beipan dynn 'ma wedi gwasgu pob gronyn o wynt allan o fy sgyfaint. Ond be am 'y mheipan i? Mae honno'n dechra mynd yn sownd, rŵan. O'r nefoedd! Dyma'i diwedd hi!

Na . . . mae rhywun yn dechra gwthio eto—yn eitha rheolaidd erbyn hyn, hefyd—ac mi faswn i'n taeru fod y beipan yn chwyddo ryw ychydig amdana i. Er, mae hi'n dal yn gyfyng gythreulig yma. Ond, ydw . . . ydw . . . rydw i'n symud peth unwaith eto— cael 'y ngwthio ydw i, wrth gwrs: does gen i fy hun ddim gobaith symud na bys na bawd yn y twll lle 'ma.

Ew, mae rhywun yn benderfynol o 'ngwthio i yn 'y mlaen. Ond does ganddyn nhw ddim syniad fod gen i gymaint o gur yn 'y mhen. Dydi'r gweddill ohona i ddim yn rhy ddrwg, gan mai 'mhen i sy'n gorfod diodde'r gwaetha. Ac mae hwnnw'n teimlo fel meipan yn cael ei wasgu'n ddi-drugaredd. Pa synnwyr sydd mewn defnyddio pen rhywun fel tyllwr twnal?

* * * * *

Nefoedd yr adar! Be ddigwyddodd rŵan? Un hyrddiad dychrynllyd, a dyma hi'n olau ofnadwy yma. Pobman yn wyn, a finna heb agor fy llygaid, hyd yn oed. Ond rydw i'n rhydd!

Mae 'mhen i'n dal yn boenus, er bod y gwasgu drosodd. Ond y gweddill ohona i ydi'r broblem, bellach. Mae 'nghroen i'n dendar, a phopeth mor sych! Pwy sy'n rhwbio'r peth cras yna amdana i? Mi fasai'n well gen i fod yn wlyb, siwr iawn.

Wel, y diawl! Dyna rywun wedi rhoi swadan i mi. Be sy'n digwydd yn y lle 'ma? Swadan am ddim byd! Doeddwn i ddim wedi cyffwrdd 'y mys yn neb. A doeddwn i ddim yn crio, hyd yn oed. Ond mi gria i, rŵan. O, gwnaf. Mi dysga i nhw am roi swadan i mi fel'na am ddim byd. Crio amdani—rŵan, a phob tro y bydd petha ddim yn plesio. Arnyn nhw y mae'r bai am 'y ngham-drin i fel hyn. A doeddwn i ddim eisiau dod yma, beth bynnag.

* * * * * *

Dyna ddigon o grio am y tro. Rydw i wedi colli 'ngwynt yn lân. Ac mae rhywun yn mynnu fy siglo i bob munud. Aw! mae agor y llygaid yma'n brifo, hefyd: pob man yn olau, olau. Does ryfedd na fedra i ddim gweld dim byd yn iawn. Ac rydw i'n dechra teimlo'n oer eto, er bod 'y nghroen i'n goch ar ôl yr holl rwbio efo'r hen beth sych, annifyr 'na. Waeth i mi grio eto, ddim.

O'r nefoedd! Mae rhywun yn ceisio stwffio rhywbeth i 'ngheg i, rŵan. Ac mae hwnnw'n sych, hefyd. Ac yn fawr . . . Y nefoedd wen, does dim disgwyl i mi fwyta honna i gyd, gobeithio. A finna heb ddannedd i gnoi. Be wna i rŵan, felly? . . . Beth am wasgu'i blaen hi efo 'ngwefla. Hwyrach yr eith hi o 'ma wedyn, os bydda i'n lwcus.

O, na . . . Dowch, rŵan . . . chwarae teg i finna, hefyd. Pam ydach chi'n dal i geisio stwffio'r hen falŵn fawr sych 'na i ngheg i? Ydach chi ddim yn deall, 'dwch? Fwyta i byth mohoni i gyd. Rhoswch chi funud . . . Gwasgiad arall efo 'ngwefla, felly . . .

Wel yr hen gnawes! Mae hi wedi poeri rhywbeth yn syth i 'ngheg i. Ond o leia mae hwn yn wlyb . . . ac yn gynnes. Mi lynca i o, o ran sbeit. Mae'n well gen i hynny na dangos iddyn nhw eu bod nhw'n dechra mynd yn drech na fi—yn poeri i mewn i 'ngheg i, o bob man!

Argol fawr! Mae hi'n dal i boeri. Does bosib fod llond y falŵn wen o'r hen stwff gwlyb 'ma! Mae hi'n mynd yn anodd arna i, rŵan. Doeddwn i ddim wedi rhagweld hyn pan lyncais i'r boeriad gynta. Mae arna i ofn fod 'na fwy o beth gwlyb yn y falŵn yna nag sydd o le yn 'y mol i. Does yna ddim ond un ateb, felly . . . I fyny â fo!

Doeddwn i ddim wedi bwriadu troi tu mîn fel hyn a phoeri'n ôl, ond os mai dyna ydi'u gêm nhw, mae'n well i mi ddangos yn y dechra pwy ydi'r bos. Bob tro y byddan nhw'n poeri i 'ngheg i, mi wna i 'ngora glas i feithrin amynedd efo nhw, ond os byddan nhw'n dal ati, mi gân nhw hi yn ôl—dros bob man!

* * * * * *

Rydw i newydd ddysgu tric newydd. Mi fedra i boeri o ddau le! Mi ga i nhw, rŵan. Dim ond gwneud yn siwr nad oes 'na ddim byd sych am 'y ngwaelod i, ac mi wlycha i nhw'n iawn. Ew, erbyn meddwl, mi fedra i wlychu'r hen beth cras 'na y maen nhw'n ei roi amdana i, hefyd. Ond mi fydd y gweddill ohona i'n dal yn sych, gwaetha'r modd.

O, ych a fi! Rydw i'n gallu gwneud rhywbeth arall, hefyd. A dydi o ddim yn neis iawn, a . . . a mae o'n drewi. Dydw i ddim yn siwr ydi hyn o 'mhlaid i neu beidio. Dydyn *nhw* ddim yn ei hoffi o, mae'n amlwg. Ond dydw i ddim yn meddwl 'mod inna'n ei hoffi o ryw lawer, chwaith. Doedd hyn ddim yn arfer digwydd yn yr hen fath. Arnyn nhw y mae'r bai yn fy hel i o fan'no.

Rydw i'n gwybod 'mod i wedi cwyno digon ei bod hi'n gyfyng yno, ond roedd hi'n gynnes ac yn wlyb ac yn dywyll ac yn glyd. Erbyn hyn, mae petha wedi newid yn go arw arna i: yn oer, weithia; yn sych, ran amla; yn olau bron drwy'r amser; ac yn cael 'y nhaflu o le i le gan hwn a hon a'r llall, a phawb eisiau 'myseddu i, hyd yn oed pan fydda i'n cysgu. Ac maen nhw'n dal i feddwl fod eisiau fy ysgwyd i er mwyn gwneud i mi gysgu.

Wel, hwyrach y dysgan nhw ryw ddiwrnod 'mod i'n bwriadu cysgu pan fydda *i'n* barod, poeri'n ôl pan fydd gen i ddim dewis, a gwneud pob dim arall y mae'n rhaid i mi 'i wneud, bellach, am eu bod nhw wedi penderfynu 'nhrin i fel hyn.

Bechod na fedrwn i fynd yn ôl i'r cyfnod cyn ailwampio'r bath, a chyn troi'r holl fyd 'ma wyneb i waered.

* * * * * * *

Wel, mi fydd yn rhaid gwneud y gora o'r gwaetha, bellach, mae'n beryg. A'r peth calla fydd ceisio cysgu cymaint â medra i. Mi fydda i'n cael ychydig mwy o lonydd felly. Mi fydd hi'n gynhesach bryd hynny; a rhywbeth yn dynn am y rhan fwya ohona i—er bod hwnnw'n annifyr o sych.

Hwyrach y ca i fod yn llonydd . . . mewn tywyllwch clyd . . . ac yn wlyb i gyd eto . . . ryw ddiwrnod.

Y CERDYN

Chwech ... saith ... wyth! Dyna'r wyth amlen rydw i wedi'u sgrifennu'n ofalus mewn llythrennau mawr bob lliw yn daclus o dan yr wyth cerdyn sy'n rhes ar fwrdd y gegin. Ac mae'r cardiau'n ddigon o sioe! Rydw i wedi bod wrthi ers dyddiau yn creu patrwm manwl gwahanol ar bob un cyn eu lliwio'n ofalus heb fynd dros yr un llinell o gwbl.

'O, Lleucu! Dwyt ti 'rioed wrth yr hen gardia' 'na eto. Fasa hi ddim yn well i ti ymarfer dy biano, dwed? Ac mi fydd yn rhaid i ti glirio'r bwrdd gyda hyn beth bynnag, i mi gael hulio swper.'

Wnes i ddim trafferth ateb Mam. Rydw i wedi laru arni hi'n swnian 'mod i'n gwastraffu'n amser bob munud. Mae'r cardiau 'ma'n ddigon o ryfeddod. A fi sydd wedi gwneud bob un.

Rŵan, y cam nesa ydi dewis pa amlen sy'n gweddu i ba gerdyn, o ran patrwm a lliwiau. Er bod *pob* cerdyn ac amlen yn werth eu gweld, wrth gwrs, rydw i'n gwybod fod ambell un yn arbennig, ac *un* yn arbennig iawn. Dyma'r un rydw i am ei roi i Anna.

Dim ond ers y tymor diwetha mae Anna wedi bod yn ein dosbarth ni, Cynradd Un—er pan ddaeth ei thad hi'n fos i'r banc ar y Sgwâr. Ond mae hi'n andros o eneth. Gwallt hir, melyn . . . ac mae hi'n dalach na'r un o'r genethod eraill yn y dosbarth.

Mae hi'n glyfar hefyd, yn gallu gwneud syms yn well na'r un ohonon ni. A dweud y gwir, mae hi'n gallu gwneud syms yn well na'r bechgyn! A rydan ni i gyd yn falch o hynny. Nhw sydd wedi bod orau am wneud syms o'r dechra, a ninnau'r genethod yn well am ddarllen a sgrifennu. Ond mae Anna wedi newid petha!

Mae *hi'n* dda am ddarllen a sgrifennu hefyd wrth gwrs. Ond amser chwarae mae hi ar ei gora. Yn nhîm Gwerfyl roedden ni i gyd eisiau bod ers talwm, ac ro'wn i wedi cael bod yn ei thîm hi yn amlach na pheidio ers tro byd. Roedd Gwerfyl yn dda am chwarae rownderi, ond mae Anna yn well. Roedd Gwerfyl gyda'r gora am redeg a chwarae pêl rwyd, ond Anna yw'r ora rŵan. Ac o gwmpas Anna y byddwn ni'n tyrru, bellach, fel huddug i botas.

Rydw i bron â thorri 'mol yn dyheu am ddiwrnod 'y mhenblwydd eleni, er mwyn i mi gael gwahodd Anna i 'mharti. Dim ond wyth o enethod sy'n cael dod, meddai Mam—yr un nifer â'n oed i, rŵan 'mod i'n tyfu'n eneth fawr. Mae hi wedi bod yn drybeilig o anodd dewis wyth, gan fod pymtheg o enethod yn y dosbarth *cyn* i Anna gyrraedd. Rydw i wedi bod yn pendroni yn 'y ngwely am nosweithiau.

'Cadw'r cardia' 'na rŵan, bendith tad. Mae'n hwyr glas i ti 'u rhoi nhw i'r genod—er mwyn i ni gael 'u lle nhw yn y tŷ 'ma.'

Doedd hynna ddim yn beth clên iawn i'w ddweud, nag oedd? Ond waeth i mi heb â dadlau efo hi.

'Mi rho i nhw fory, Mam.'

'A dw i'n gobeithio dy fod ti wedi callio ynglŷn â phwy sy'n cael dod i dy barti di.'

Dyma ni eto. Mi wn i'n iawn be sy'n dod rŵan.

'Mae Gwerfyl wedi bod yn ffrind da i ti ar hyd y blynyddoedd. Ac rwyt ti'n sôn am 'i gwerthu hi eleni am yr hen Anna 'na.'

'Chi sy wedi deud mai dim ond wyth sy'n cael dod, Mam. Os ca i wahodd un arall, mi geith Gwerfyl ddod hefyd.'

'Ceith, mwn. Digon da i fod yn nawfed, 'tydi? A thitha wedi cael mynd i'w pharti hi bob blwyddyn. Wel, wyth sy'n dod yma. A dyna ddiwedd arni. Rhyngot ti a dy botas pa wyth. Ond rydw i wedi deud.

Difaru wnei di.'

Wna i ddim mentro dweud hynny wrth Mam, ond petai'r rhestr o wyth wedi'i haneru hyd yn oed, mi fyddai Anna'n dal ar y rhestr.

* * * * * *

Ro'wn i wedi bwriadu rhoi'r cerdyn i Anna y peth cynta'r bore 'ma. Ond gan ei bod hi'n tresio bwrw glaw, welodd hi mohona i'n chwifio llaw arni pan oedd hi'n dod allan o gar mawr llwyd ei thad—na 'nghlywed i'n gweiddi arni wrth gadw'n cotiau, mae'n rhaid.

Mae hi'n eistedd wrth y bwrdd o 'mlaen i yn y dosbarth 'ma, a'i chefn ata i. Fydd hi ddim yn troi'n ôl i sgwrsio efo'n bwrdd ni yn amal. Dyna pam mae hi'n gwneud ei gwaith mor dda, siwr iawn. Canolbwyntio mae Miss yn ei alw fo. 'Cau-dy-geg-a-gwranda' fydd Mam yn ei ddweud.

Doeddwn i ddim eisiau rhoi'r cardiau i'r genethod eraill cyn cyflwyno un Anna iddi hi, rhag ofn iddi feddwl mai dim ond fel un o'r lleill ro'wn i'n ei hys tyried hi. Ond mi welodd Nia yr amlenni yn y bag ysgol pinc 'ma, a doedd gen i ddim dewis wedyn. Nia sy'n eistedd wrth fy ochr i, a hen beth digon busneslyd ydi hi, a dweud y gwir.

Amser chwarae, felly, roedd giang o'r genethod wedi hel o 'nghwmpas i yn y lle cadw cotiau gan ei bod hi'n dal i dresio bwrw. Dyna lle roedd pob un yn gwthio am ei cherdyn a Nia ar y blaen fel y gallech chi feddwl. Ond ro'wn i'n gwybod mai ar waelod y swp amlenni oedd un Nia, ac mi gafodd hi ddisgwyl. Roedd hi ar bigau'r drain ers meitin. Ond rydw i'n meddwl ei bod hi'n reit falch ohono fo—er mai 'y newis ola i oedd o.

Rhwng Nia a Gwerfyl oedd hi am y cerdyn hwnnw ers nosweithiau, ond gan fod Nia ar ein bwrdd ni, doedd gen i ddim dewis go iawn, nag oedd?

Ond mi gafodd Gwerfyl ei weld o, hefyd. Nia ddangosodd o iddi ar ein ffordd yn ôl i'r dosbarth—yn geg i gyd.

Doedd Gwerfyl ddim wedi gwthio ata i fel y genethod eraill, amser chwarae. Mae hi wedi mynd braidd yn swil ers i Anna ddod acw. Ond mi faswn i wedi gallu rhoi clustan i Nia am ddweud be wnaeth hi wrth Gwerfyl: dweud ei bod hi wedi gweld fod gen i un amlen ar ôl i rywun. Wnaeth hi ddim dweud i bwy, hyd yn oed os oedd hi'n gwybod, ond ro'wn i'n teimlo'n ofnadwy wrth weld Gwerfyl yn gwenu'n annwyl arna i.

Roedd hi'n rhy hwyr i mi newid y gwahoddiadau. Dim ond un cerdyn oedd gen i ar ôl i'w rannu. Ac roedd enw Anna ar yr amlen.

Doedd Anna ddim wedi dod i'r lle cotiau aton ni, amser chwarae. Roedd hi wedi cael aros i helpu Miss yn y dosbarth. Ac ar ôl rhannu'r defnydd ar gyfer y wers grefftau, mi gafodd hi aros yno wedyn pan aeth Miss am baned. Call ydi Anna, yntê? Mae'n brafiach yn y dosbarth nag yn y lle cotiau gwlyb amser chwarae.

Ro'wn i'n gobeithio'r nefoedd nad oedd neb o'r genethod eraill wedi dangos ei cherdyn i Anna cyn i mi gael cyflwyno'i un hi iddi amser cinio. Dydw i ddim yn meddwl eu bod nhw, chwaith, achos roedd hi'n reit ddi-hid pan lwyddais i ymuno efo hi yn y ciw cinio. Doedd hi ddim fel pe bai hi'n gwybod am y parti o gwbl.

'Be ydi hwn?'

'Cerdyn.'

'Dw i'n gwybod mai cerdyn ydi o'r jolpan.'

'Cerdyn yn gofyn wyt ti isho dod i 'mharti i.'

'O.'

'Fi wnaeth o'n hun.'

'Ia, debyg.'

'Wyt ti . . . wyt ti'n licio fo?'

'Mae o'n iawn . . . am wn i.'

'Roedd Mam yn cega 'mod i'n wastio amser yn 'i wneud o. Ond . . . ond ro'wn i isho gneud un sbesial i ti.'

'Fydda *i* ddim yn gorfod gneud rhai'n hun. Mi fydd Dad yn prynu rhai i fi bob blwyddyn. Hwyrach y cei di weld un tro nesa.'

Roedden ni wedi cyrraedd y lle bwyd cyn i mi gael holi dim chwaneg, ac roedd Anna'n brysur yn dewis pa lysiau oer i fynd efo'i rholyn gaws. Doedd yna ddim lle i mi ar y bwrdd lle'r aeth hi i fwyta, chwaith, ac ar ei ffordd allan o'r neuadd y rhedais i ati.

'Wyt ti am ddod, dwyt?'

'Dod i le? . . . O! Dy barti di!'

'Ia. Mae 'na wyth ohonoch chi'n dod i gyd. Ac ar ôl te, mae Mam yn deud y cawn ni . . .'

'Wyth?'

'Ia. Am 'mod i'n wyth oed. Mae Mam yn deud mai wyth ddyla ddod rŵan 'mod i'n . . . '

'Pwy sy *ddim* yn mynd i dy barti di, felly?'

'Wel . . . ti'n gwybod . . . Gwerfyl a rheina . . . '

'O.'

Doeddwn i ddim yn siwr a oedd hi'n falch nad oedd Gwerfyl yn dod . . .

'Dydw i ddim yn gwybod os medra inna ddod.'

'Be? . . . Pam?'

'Dydd Sadwrn mae o, yntê?'

'Ia, dydd Sadwrn ar ôl cinio er mwyn i ni gael chwarae allan i ddechra os bydd hi'n braf, a wedyn ar ôl te . . . '

'Mi fydd yn rhaid i mi ofyn i Dad ydi o wedi trefnu rhywbcth arall.'

'O.'

'Rydan ni'n disgwyl cael benthyg merlan ers wythnosa', ac mae'n bosib mai dydd Sadwrn y cawn ni un. Wel, gobeithio beth bynnag.'

＊ ＊ ＊ ＊ ＊ ＊

Roedd Anna wedi rhedeg drwy'r glaw i'r maes parcio o flaen pawb ar ôl ysgol, ac roedd y car mawr llwyd wedi mynd erbyn i mi gyrraedd yno. Ro'wn i'n teimlo hen ddiferion oer yn dechra mynd i lawr 'y ngwar pan glywais i Mam yn gweiddi arna i i frysio, rhag ofn i mi gael annwyd cyn dydd Sadwrn.

Wnes i ddim codi 'mhen. Ac ro'wn i bron â chyrraedd y car bach glas pan welais i amlen ar lawr mewn pwll dŵr. Roedd y glaw wedi golchi lliwiau'r enw yn llanast brown. Ond wrth agor yr amlen ro'wn i'n gweld cerdyn pwy oedd yn dal y tu mewn.

Mae o yn 'y mhoced i rŵan yng nghefn y car, er ei fod o'n wlyb doman. Ac mae 'na rywbeth arall yn wlyb ar 'y moch i.

Y Siwt Nofio

'Brysia, nei di! Mae'r bechgyn yn y dŵr ers meitin!'

Ro'wn i'n cael trafferth efo'r siwt nofio ddu a gefais i ar 'y mhenblwydd yn un ar bymtheg, yr wythnos diwetha. Wel, fi prynodd hi, a dweud y gwir, efo'r pres ro'wn i wedi'i gael. Mi fûm i'n syllu arni yn ffenest *Modern Miss* am wythnosau, yn dyheu am y diwrnod mawr, ac yn gobeithio'r nefoedd y baswn i'n cael digon o bres adeg hynny. Cael a chael oedd hi.

'Fydda i ddim dau funud, Gwerfyl.'

Ond ro'wn i'n siwr y byddwn i funudau lawer yn cael trefn arna i'n hun. O, damia! Roedd Mam wedi dweud na fyddai'r un ddu 'ma yn fy siwtio i. Sut ei bod *hi'n* gwybod bob dim?

'Mae Nia'n deud 'i bod hi am fynd o dy flaen di, Lleucu.'

'Gad iddi fynd. A dos ditha, hefyd.

Mi ddo i ar eich hôl chi, rŵan.'

'O ce, 'ta. Os wyt ti'n iawn i mewn yn fan 'na.'

Iawn? Rydw i 'mhell o fod yn iawn yn y cwt newid 'ma. Ond dydw i ddim am ddweud hynny wrth Gwerfyl, er mai hi ydi fy ffrind gora i. Y siwt nofio 'ma ydi'r broblem. Mae ei thu blaen hi yn rhy fawr i mi. Dydw i ddim wedi . . . wedi 'datblygu', fel maen nhw'n ddweud—ddim wedi datblygu digon eto i'w ffitio hi.

Ro'wn i wedi meddwl y bydda'r padiau 'ma'n dal eu hunain allan, ac yn cuddio 'ngwendidau i. Ond pantio i mewn mae'r diawlad, fel tae gen i ddwy ogof yn lle dwy fron. A fedra i ddim rhoi dim byd y tu mewn iddyn nhw, neu mi wlychith hwnnw yn y dŵr . . . a dod i'r golwg. Ond mae un peth yn siwr: ddaw 'mronnau i ddim i'r golwg—ddim am flynyddoedd!

Rhoi'r lliain sychu dros 'y ngwar a gadael i'r ddau ben hongian o 'mlaen i wrth fynd at y pwll ydi'r unig ateb—

nes cyrhaedda i'r dŵr. Cadw 'nghorff o dan y dŵr wedyn . . . ac yn ddigon pell oddi wrth bawb arall. Ond dyna'r drwg. Fedra i ddim diodde'r bali dŵr, 'na fedraf?

Dydw i erioed wedi bod yn hapus mewn dŵr—dŵr môr na phwll nofio. Mae'n hollol groes i'r graen i mi fynd iddo fo o gwbwl. Mae o'n mynd â 'ngwynt i'n lân; mae o'n mynd i 'ngheg i; fedra i ddim anadlu'n iawn ynddo fo; mi fydda i'n oer drwy'r amser; ac mi ydw i ofn mentro allan o 'nyfnder, gan 'mod i prin yn gallu nofio.

Ond y niwsans ydi fod y genethod yn mynnu dod yma bron bob wythnos. Mae'n iawn arnyn nhw: Gwerfyl yn nofio fel tae hi wedi'i geni o dan ddŵr, a Nia'n ddigon hyderus i fentro unrhyw beth, er mae'n syn gen i na fyddai mwy o ddŵr yn mynd i'r geg fawr 'na sy ganddi hi.

Roedd Anna fel pysgodyn hefyd pan oedd hi'n byw yn y dre 'ma. Ond mi gafodd ei thad ddyrchafiad arall ryw dair blynedd yn ôl a chlywson ni ddim o'i hanes hi wedyn.

Cyn iddi fynd, roedd hi wedi dechra hel bechgyn—a hithau'n ddim ond tair ar ddeg. Roedd 'na straeon o gwmpas yr ysgol ei bod hi'n gwneud petha digon beth'ma efo bechgyn y pumed. Ond rydw i'n amau mai'i thafod hi oedd brysura—yn hau straeon i ddenu sylw.

Y drwg oedd ei bod hi'n llwyddo, ac roedd rhai o fechgyn ein dosbarth ni wedi mopio arni hefyd—yn enwedig Gwynedd. Ond mae o wedi callio ar ôl iddi fynd. Mae o yma heno.

'Lle wyt ti wedi bod, Lleucu fach?'

Roedd golwg go bryderus ar Gwerfyl, fel tae hi wedi dechra poeni amdana i.

'O . . . y wisg nofio 'ma oedd braidd yn dynn. Am 'i bod hi'n newydd, debyg.'

'Ty'd yn dy flaen, 'ta. Er mwyn i ni gael dy weld di yn dy holl ogoniant.'

Ceisio bod yn glên oedd Gwerfyl, ond roedd hi'n anodd iawn gwenu.

'Dos di'n ôl at y lleill, Gwer. Mi gymer hi funud neu ddau i mi dorri'r garw. Ydi o'n oer iawn?'

'Nac ydi, ncno'r tad. Mae o'n grêt, unwaith wyt ti i mewn. Brysia!'

Ac i ffwrdd â hi'n esmwyth osgeiddig am y pen dwfn at y lleill. Eistedd ar ochr y pwll wnes i, gan gyffwrdd blaen 'y modiau yn y dŵr oer. Ro'wn i'n dechra crynu'n barod, er bod y lliain yn dynn amdana i o hyd.

Un o'r bechgyn waeddodd rhywbeth fel ro'wn i newydd lwyddo i wlychu at 'y mhengliniau, a'r peth nesa welwn i oedd llwyth ohonyn nhw'n dechra nofio'n egar tuag ata i. Rhyw lusgo ar ôl y gweddill oedd Gwynedd.

Dyma benderfynu'n sydyn fod yn rhaid i mi fentro ar 'y ngwaetha ac ar ôl taflu'r lliain, gollwng fy hun yn ara i'r dŵr nes iddo fynd â 'ngwynt i'n lân. Ro'wn i'n dal i geisio adfer hwnnw a pheidio â chrynu pan gyrhaeddodd y giang.

'Wel, tydan ni'n grand yn ein du!'

Nia oedd honna, fel y gallech chi ddisgwyl, a doedd ei cheg hi ddim wedi cau, chwaith . . .

'Wyt ti'n siŵr mai dim ond chdi sy ynddi hi?'

Ro'wn i'n teimlo'r gwaed yn ceisio gwrido 'mochau i, ond mae'n siwr 'mod i'n rhy oer i neb sylwi. Oedd hi'n sôn am y pantiau yn y siwt nofio, ynte'r bol 'ma rydw i'n geisio'i ddal i mewn? Na, fedar hi ddim gweld y bol dan y dŵr . . .

'Mae hi'n ddel iawn, Lleucu.'

Diolch, Gwerfyl, ond gawn ni sôn am rywbeth arall, tybed?

'Ac mae du yn dy siwtio di.'

Ydi, wir Dduw, fel rydw i'n teimlo rŵan! Ac mae Gwynedd yn syllu arna i hefyd, er ei fod o'n ceisio cuddio hynny. Wel, i lawr â fi, felly, o dan y dŵr . . . fel tawn i'n mwynhau fy

hun . . . gan obeithio y bydd rhyw-
beth arall yn mynd â'u bryd nhw.

Wrth godi'n ôl, hel 'y ngwallt
diferol o 'ngwyneb, a rhwbio'n llygaid,
mi welwn i Nia yn ceisio pryfocio
Gwynedd o dan y dŵr. Yr hen jadan
iddi!

Ond pa obaith oedd gen i o gys-
tadlu efo hi yn y pwll 'ma? Roedd 'y
ngwallt i'n hyll, yn syth ac yn fflat ar
'y mhen i. A doedd o mo'r unig beth
oedd yn fflat, chwaith.

Gwerfyl oedd fwya siapus ohonon
ni'n tair, ond bod Nia yn llwyddo i
ddenu mwy o sylw'r bechgyn efo'i
phryfocio. Ac roedd y ddwy i'w
gweld yn cael hwyl ofnadwy heno,
tra'i bod hi'n hwyr glas gen i ddod o'r
pwll 'ma'n barod.

'Lle awn ni wedyn?'

Gobeithio nad o'wn i wedi swnio'n
rhy awyddus, ond hwyrach y byddai'r
awgrym yn hybu rhywun i feddwl am
symud o 'ma.

'Diod oer fydda'n dda.'

Gwerfyl gafodd y syniad gwirion yna, tra byddai'n llawer gwell gen i baned boeth o rywbeth. Ond roedd syniad Nia'n wirionach fyth.

'Mae'r bar i fyny'r grisia', 'tydi fechgyn?'

Rydw i'n gwybod fod y bechgyn yn mentro yno weithia, ond wyddwn i ddim fod Nia wedi bod efo nhw. Doedd Gwerfyl ddim yn rhy hoff o'r syniad, chwaith, fel y clywais i hi'n gweiddi wrth Nia pan oedden ni'n ôl yn y cytiau newid.

'Wyt ti'n meddwl 'i fod o'n beth call i ni fynd i'r bar?'

'Pam lai? Rydan ni'n un ar bymtheg, 'tydan? Mae gynnon ni hawl i fynd yno. A does dim *rhaid* i ti yfed yr un peth â'r bechgyn, nag oes?'

'Nag oes . . . ond . . . '

'Twt lol, Gwer! Rwyt ti'n fwy o fabi na Lleucu.'

Go brin 'mod i fod i glywed y sylw ola 'na, ond doedd Nia ddim wedi gostwng ei llais ddigon, er 'mod i dri chwt newid oddi wrthi. Yr hen bitsh! Mi gawn ni weld pwy sy'n fabi, Nia Huws.

'Be gymwch chi, genod?'

Roedd golwg braidd yn swil ar Gwynedd yn dod aton ni o'r bwrdd nesa, lle roedd gweddill y bechgyn yn malu awyr yn ddigon swnllyd.

'Gwerfyl?'

'Does dim isho i ti dalu droson ni, Gwynedd . . . '

'Lagyr gymra i, Gwyn.'

Nia oedd honna. Ac ro'wn i'n falch o weld Gwynedd yn crychu'i aeliau.

'Wyt ti'n siwr? Fydda hi ddim yn well i ti . . . '

'Wrth gwrs 'mod i'n siwr. Dyna be mae'r bechgyn yn ei gael, yntê?'

'Mae rhai o'r bechgyn acw'n ddeunaw, Nia. *Coke* ydw i am ei gael heno. Be amdanat ti, Gwerfyl?'

'*Coke* i minna, 'ta, Gwynedd—os wyt ti'n mynnu talu. A digon o rew ynddo fo, os gweli di'n dda.'

'Lleucu?'

'Dw i'n iawn, diolch, Gwynedd.'

'Dim *coke*, hyd yn oed?'

'O . . . o'r gora, 'ta. Ond dydw i ddim isho rhew ynddo fo.'

'Dwyt ti erioed yn dal i grynu, Lleucu?'

Nia oedd yn busnesu eto. Ond wnes i ddim deall arwyddocâd ei chwestiwn nesa ar y pryd.

'Fydda hi ddim yn well i ti gael rhywbeth i gynhesu, 'ta? Gwyn! Mi helpa i di efo'r diodydd.'

Cyn i mi gael cyfle i'w hateb, roedd hi wedi dilyn Gwynedd at y bar.

'Does gan Nia wyneb, Gwer? Rhedeg ar ôl Gwynedd fel 'na! Be mae o'n ei weld ynddi hi, dwed?'

Dim ond gwenu'n annwyl arna i wnaeth Gwerfyl. Ond mi wyddwn i ei bod hi'n pendroni nes i'r ddau arall ddod yn ôl o'r bar, ac i Nia gyhoeddi:

'*Coke* i chi'ch dwy. Rhew yn un . . . a . . . a dim rhew yn y llall.'

'Wyt ti'n siwr mai *coke* ydi hwn?'

Roedd o'n edrych fel *coke*, ac yn

blasu'n go debyg, ond ro'wn i'n ama . . .

'Na, *Pepsi* ydi o, a dweud y gwir. Ond mae o'n ddigon da i ti, ddyliwn, Lleucu?'

'Ydi . . . diolch. Diolch, Gwynedd.'

'Nia dalodd am eich diod chi, genod.'

'A thitha'n talu am fy lagyr i, yntê Gwyn?'

Unwaith eto, ro'wn i'n synhwyro fod rhyw ddrwg yn y caws. Ond os oedd Nia'n mynnu dangos ei hun o flaen Gwynedd a'r lleill doedd dim llawer y gallwn i 'i wneud. Beth bynnag, roedd y *pepsi'n* blasu'n dda erbyn hyn, a bron na fyddwn i'n taeru ei fod o'n dechra 'nghynesu i, hefyd.

'Mae'n well i ni brynu diod yn ôl iddyn nhw.'

Sibrwd wnaeth Gwerfyl—yn gall, fel arfer. Ond roedd Nia'n glustiau i gyd ac yn fwy na pharod i'w chynorthwyo:

'Talwch chi'ch dwy, ac mi awn ninna i'w nôl nhw.'

Doedd gan Gwynedd ddim dewis, yn amlwg. Doedd gynnon ninna ddim llawer, chwaith. Felly, dyma ni'n rhoi dwy bunt yr un iddi.

Er bod un neu ddau o'r bechgyn yn llygadu Gwerfyl o'r bwrdd nesa, doedd hi ddim am gael ei hudo i ymateb iddyn nhw. Doedd y bechgyn yn dangos dim diddordeb ynof fi, wrth gwrs, ond ro'wn i'n teimlo'n well erbyn hyn nag a wnes i drwy'r gyda'r nos. Digon tawel oedd Gwerfyl er hynny,

Er nad oedd gen i ddim blewyn o frwdfrydedd dros fynd i'r pwll nofio, ro'wn i'n fodlon mentro yno bob tro efo'r genethod er mwyn cael eu cwmni nhw. Doedd gen i ddim brawd na chwaer, ac roedd hi'n ddiflas iawn ar yr aelwyd acw gan fod mam yn hŷn na rhieni'r genethod eraill.

Ro'wn i'n ffrindiau mawr efo Gwerfyl ers rhai blynyddoedd, bellach,

Hen eneth iawn oedd hi, yn glên bob amser a byth yn gwneud lol am ddim byd. Roedd nifer o fechgyn wedi dechra ei ffansïo hi'n ddiweddar, ond roedd hi'n dal yn driw i Nia a finna. A doedd Nia ddim yn ddrwg i gyd, chwaith.

'Dyma chi, genod. *Pepsi* arall i chi. Cymrwch chi ofal na wnewch chi ddim meddwi arno fo.'

Dipyn o gês oedd Nia. Digon o geg, ond digon o galon hefyd, weithia. Ac nid hi oedd yr unig un o enethod dosbarth ni oedd yn yfed *lager* i greu argraff ar y bechgyn. Doedd hi ddim yn edrych fawr gwaeth ar ôl gorffen ei hail wydraid, chwaith. Dim ond ei bod hi'n gwenu braidd ar y mwya arna i. Roedden nhw i gyd yn gwenu— y bechgyn eraill, hefyd. Rhyfedd, yntê? Ro'wn inna'n teimlo'n reit benysgafn, er mai dim ond dau *Pepsi* o'n i wedi'i gael. A fasa hi ddim o bwys gen i gael un arall.

'Be am gael un bach eto cyn i ni

fynd, Gwer?'

'Argol, na wna wir, Lleucu. Mae o'n codi gwynt arna i. A . . . ac mae o'n codi rhywbeth arnat titha, hefyd.'

'Codi be?'

'Codi gwrid i dy focha' di'n un peth. O'r nefoedd . . . dudwch wrthi wir, cyn i betha fynd yn flêr yma.'

'Deud be, Gwer?'

Ond wrth weld y lleill bron â thorri'u boliau eisiau chwerthin y deallais i be oedd yn eu goglais nhw.

'Olreit, be ydi o?'

'Be ydi be, Lleucu?'

'Y ddiod 'na roist ti i mi, Nia.'

Prin ei bod hi'n gallu ei dal ei hun rhag chwerthin:

'*Pepsi*. Fel dwedais i.'

'*Pepsi* a be?'

'*Bacardi*.'

A dyma'r ddau arall a rhai o'r bechgyn yn ffrwydro chwerthin yr un pryd â hi. Ond doeddwn i ddim yn meddwl ei fod o'n ddoniol iawn.

'Y diawlad!'

'O, paid wir, Lleucu . . . Dim ond jôc fach.'

'Ti a dy jôc. Rwyt ti'n meddwl fod pob dim yn jôc, Nia.'

Roedd y lleill i gyd yn dal i wenu, a doedd hynny'n ddim help i mi. Roedd y rhain wedi bod yn gwneud hwyl am 'y mhen i, ond cynllwyn Nia oedd o. Ro'wn i'n siwr o hynny, ac am dalu'n ôl iddi:

'Be ydi'r jôc, beth bynnag? Dydi o ddim o bwys gen i 'mod i wedi cael *Bacardi*. Ti oedd ddigon gwirion i dalu amdano fo.'

Ond doedd hi ddim mor hawdd â hynny i gau ceg Nia.

'Wyt ti isho un arall, 'ta?

Wrth i minna ymateb i'r her, gwelwn y wên yn pylu ar wynebau Gwerfyl a Gwynedd. Roedd y bechgyn wedi colli diddordeb ynof fi erbyn hyn. Gwerfyl geisiodd roi ffrwyn arnon ni.

'Gadwch hi rŵan, genod. Mae'n

siwr 'i bod hi'n amser i ni 'i hel hi am adre.'

Ond mi fydda i'n gallu bod yn styfnig, weithia. Ac roedd y *Bacardi*'n help at hynny:

'Os ydi Nia'n cynnig, rydw inna'n derbyn. Dyna i gyd.'

Ac wrth weld Nia'n syllu arna i, fedrwn i ddim peidio ag ychwanegu:

'Ond os na fedar hi ddal 'i lagyr, wel dyna ni, 'ntê?'

Roedd Nia wedi'i chychwyn hi am y bar mewn chwinciad. Edrychodd Gwerfyl a Gwynedd ar ei gilydd braidd yn bryderus. Ro'wn i wedi cael hyder o rywle, ac yn mwynhau'r hyfrdra newydd. Bechod na fyddai'r bwrdd nesa wedi 'nghlywed i. Ond roedd gan Nia dric arall pan ddaeth hi'n ôl o'r bar.

'Dyna i ti *Bacardi* arall, 'ta. Dyblar.'

Gwenodd arna i wrth ei osod o 'mlaen. Ond sylweddolodd Gwynedd nad oedd y gystadleuaeth yn deg iawn:

'Mae 'na dipyn o wahaniaeth rhwng *Bacardi* mawr a hanner o lagyr, Nia. A dipyn o wahaniaeth yn y pris hefyd. Lle gest ti'r holl bres, dwed?'

''Musnes i ydi hynny: lle ges i o, a sut dw i'n ei wario fo.'

'Ei wastio fo, faswn i'n ddeud.'

Awgrymai sylw Gwerfyl ei bod hithau wedi cael digon ar yr herio 'ma, hefyd. Ond roedd rhyw gythraul wedi cael gafael arna i. Ac ro'wn i wedi gorffen 'y niod o flaen Nia.

'Fy nhro i rŵan, 'te. *Hanner* arall, Nia?'

Wrth godi y teimlais i'r gwendid yn y nghoesau, a bu bron i mi ddisgyn ar lin Gwynedd.

'O! Sori, Gwynedd.'

'Stedda yn fan'na, a challia!'

Roedd o braidd yn flin, ond doeddwn i ddim am gael 'y ngheryddu fel plentyn, chwaith:

'Mi stedda i *lle* dw i isho eistedd, a *phan* fydda i isho eistedd.'

Gafaelais yn 'y mag, gan sadio'n

hun ar 'y nhraed, a chychwyn at y bar. Gwelwn y bechgyn eraill yn sibrwd wrth ei gilydd. Ond wedi cyrraedd y bar i ddisgwyl 'y nhro, sylweddolais fod yn rhaid i mi fynd i rywle arall—ar frys!

Wrth agor drws cynta'r tŷ bach, teimlais y cyfog yn codi i 'ngwddw. Fedrwn i ddim cyrraedd y pan mewn pryd, a cheisiais afael mewn hances boced o'r bag. Ond wrth daflu i fyny i'r cadach gwlyb yn fy llaw, sylwais yn rhy hwyr, mai'r siwt nofio ddu oedd yn dal cynnwys fy stumog. Rhy hwyr! Damia! Damia unwaith! Fy siwt nofio newydd!

Be wnawn i rŵan? Doedd yna neb arall yn y tŷ bach, drwy drugaredd, ond doedd gen i fawr o amser cyn y byddai rhywun yn siwr o ddod i mewn. Doeddwn i ddim eisiau i neb weld y llanast ro'wn i wedi'i wneud o'r siwt nofio. Fedrwn i ddim cael gwared o'r llanast i lawr y pan, na golchi'r siwt yn y sinc, mewn pryd.

44

Dim ond un lle oedd iddi: y bin.

Ro'wn i newydd gau caead hwnnw ar fy siwt nofio ddu pan glywais i'r drws allan yn agor. Wrth molchi 'ngwyneb ar frys, ro'wn i'n siwr mai Gwerfyl oedd wedi sylwi nad o'wn i wrth y bar ac wedi amau'r gwaetha.

'Ro'wn i'n meddwl mai fan'ma basat ti.'

'Nia!'

'Wedi cael gwared o'r *Bacardi,* mae'n siwr?'

Doeddwn i ddim eisiau'i hateb hi. Roedd hi wedi gwneud digon o ffŵl ohona i am heno: wedi gwneud hwyl am ben fy siwt nofio i, wedi fflyrtio efo Gwynedd o 'mlaen i, wedi 'nhwyllo i efo'r *Bacardi,* a rŵan hyn . . .

'Mae . . . mae'n ddrwg gen i, Lleucu.'

Sychais 'y ngwyneb a 'nwylo heb ddweud gair. Wrth iddi fynd i mewn drwy un o'r drysau pinc, ychwanegodd:

'Dim ond chydig bach o hwyl

diniwed.'

Dyma sefyll yno am eiliad i adfer yr ychydig hunan hyder oedd ar ôl gen i. Doedd gen i ddim i'w ddweud wrth Nia, ond ro'wn i'n benderfynol o ddangos i Gwynedd nad plentyn o'n i. Mae'n rhaid fod Nia wedi sylweddoli 'mod i'n dal i sefyllian yno:

'Paid â phoeni, Lleucu. Rydan ni i gyd yn gorfod tyfu, 'sti.'

Hy! Dydi hi fawr hŷn na fi. Ac mi fedra i wneud heb ei chydymdeimlad hi, diolch yn fawr. Rŵan, petai Gwerfyl yn ceisio 'nghysuro i, mae'n debyg y byddwn i'n gwerthfawrogi hynny. A dweud y gwir, mae'n debyg mai crio fyddwn i i ddechra. Hwyrach y ca i gwmni Gwerfyl ar fy ffordd adre heno, os ydi Nia'n bwriadu aros yma efo Gwynedd. Yr hen jadan iddi! Mi ga i ddweud hanes y siwt nofio wrth Gwerfyl a . . .

Wrth gamu'n ôl i'r bar a chraffu ar draws y stafell, ro'wn i'n sylwi fod ein bwrdd ni'n wag. Cyn cyrraedd y bwrdd, roedd posib gweld y cyntedd, a gweld pwy oedd yn gwisgo'u cotiau yn fan'no. A chyn eistedd, ro'wn i hefyd wedi gweld dwy law yn gafael yn ei gilydd wrth gychwyn allan trwy'r drws.

Wnes inna ddim aros i Nia ddod yn ôl. Wrth gerdded adre ar 'y mhen fy hun, roedd 'y ngwallt wedi hen sychu. Ac mi wnawn i'n siwr y bydda 'mochau wedi sychu, hefyd, erbyn i mi gyrraedd y tŷ.

Ond fydd dim angen sychu'r siwt nofio ddu.

Y PARTI

'Syniad gwirion pwy oedd hyn?'

'Dy syniad di, Nia. Waeth i ti heb â chwyno, rŵan.'

'Ond mae o'n byhafio'n waeth na'r straeon amdano fo, Lleucu. A mae rheini'n ddigon drwg.'

'Mae Iwan yn iawn yn y bôn. . . wedi cael gormod i yfed mae o heno. Dathlu diwedd y tymor mae'r bechgyn yn y parti Dolig 'ma, te? Ac mi fyddwn ni i gyd yn gorfod ymddwyn yn llawer mwy parchus pan awn ni adre, wythnos nesa.'

'Mae'n bryd i rai ohonon ni gallio. Mae bywyd coleg yn mynd yn fwy gwyllt bob tymor.'

'Siarada di drosot ti dy hun, Nia. Mi dw i wedi cael tymor digon parchus.'

'Mae'n iawn arnat ti, dydi? Mi wyt ti a Gwynedd yn canlyn yn selog ers cyn dod 'ma. Mi dw i'n dal i drïo cael bachiad—a ninna ar ein hail flwyddyn, cofia.'

'Argol fawr, Nia! Does 'na neb o genod y Normal 'ma wedi cael bachiad yn amlach nag wyt ti.'

'Bachiad go iawn, dw i'n 'i feddwl. Canlyn yn selog . . . a setlo i lawr yr un fath â chi'ch dau.'

'Dydan ni ddim wedi setlo i lawr eto, Nia.'

Ond roedd y rhagolygon yn bur ffafriol—fel y byddai'r dyn tywydd yn ei ddweud. Ddiwedd blwyddyn gynta'r chweched y dechreuodd Gwynedd a finna ganlyn ein gilydd. Roedd o a Gwerfyl wedi bod yn gariadon am rai misoedd, ond mi ffansïodd o fi am ryw reswm. Wnes i ddim byd i'w hudo fo, ar 'y ngwir. Faswn i ddim wedi gwneud peth felly i Gwerfyl. Fo oedd wedi blino arni, yn ôl pob sôn.

Roedd Gwerfyl yn ddigon clên wedyn hefyd, chwarae teg iddi. Ond ddaeth hi ddim i Fangor efo ni. I

Goleg y Llyfrgellwyr yn Aber yr aeth hi, tra daeth Nia a finna i'r Normal. Ro'wn i wedi gobeithio mynd i'r Brifysgol efo Gwynedd, ond ches i ddim canlyniadau digon da i hynny.

Ta waeth, mi ddaethon ni i Fangor o fewn pythefnos i'n gilydd, a rydan ni'n dal yma efo'n gilydd. Rydan ni wedi sôn ers tro am ddyweddïo ddechra'r flwyddyn, ar Ddydd Santes Dwynwen. Bydd raid i mi ddweud wrth Mam dros y Gwyliau, gan fod dipyn o waith argyhoeddi arni hi, er ei bod hi'n reit ffond o Gwynedd. Eisiau i ni gael swydd a ballu i ddechra mae hi, wrth gwrs.

'Lle ddiawl mae'r bechgyn 'na, dwed? Maen nhw'n piso mwy na maen nhw'n 'i yfed.'

'Nia! Paid â gweiddi petha fel'na!'

'Hy! Dydi hynna'n ddim byd o gymharu â be mae Iwan yn 'i ddeud.'

'Ond dyn ydi o, Nia.'

'Ia, ac un gwirion ar y diawl, hefyd. Sut mae Gwynedd yn gymaint o fêts efo fo, dwed?'

'Rhannu stafell flwyddyn diwetha, doeddan? Ti'n gwybod yn iawn.'

'Wel, dw i wedi mynd i deimlo'n reit annifyr yn y lle 'ma, Lleucu. Dim ond ni'n dwy sy 'ma o'r Normal. Mi geith y Cymric stwffio'u parti Dolig, flwyddyn nesa. A dw i'n siwr fod dau neu dri o'r bechgyn acw'n edrych i lawr 'u trwyna arna i—yr hen snobs.'

'Nac ydyn, siwr. Gwenu'n annwyl maen nhw bob tro y bydda i'n sbïo.'

'Hen wên annifyr dw i'n 'i gweld hi, beth bynnag. Fel taen nhw'n cael hwyl am dy ben di. A faswn inna ddim yma oni bai amdanat ti. Dod yn gwmni i ti wnes i, yn lle dy fod ti ar ben dy hun yn 'u canol nhw.'

'Ia, wel doedd dim rhaid i ti, Nia. Ac roeddat ti'n ddigon awyddus i neud pedwarawd efo Iwan, 'ta be wyt ti wedi'i glywed amdano fo.'

'Pedwarawd? Deuawd ydi hi wedi bod yn fan 'ma ers oria.'

'Ia ... Lle aflwydd maen nhw,

dwed?'

'Dwn i'm, ond dw inna am fynd i'r tŷ bach rŵan yn y gobaith y gwela i nhw ar fy ffordd. Wyt ti am ddod, Lleucu?'

'Na . . . mi arhosa i yn fan'ma. Rhag ofn iddyn nhw ddod yn ôl, a methu dallt lle ydan ni.'

'Mi fasa'n neud lles iddyn nhw feddwl ein bod ni wedi cael bachiad arall, os mai fel'ma maen nhw'n ein trin ni.'

'Nia!'

'Wela i di toc.'

Ro'wn inna wedi mynd i deimlo'n bur chwithig erbyn hyn, er na faswn i byth yn cyfadde hynny wrth Nia. Mae'n wir mai'r Cymric sydd wedi trefnu'r parti 'ma i lawr yn y *Castle*, ond mae criw'r Brifysgol wedi hen arfer 'y ngweld i o gwmpas y lle efo Gwynedd. Mi fyddai'n rhyfedd tae o wedi dod yma hebo fi.

Doedd o ddim mor eiddgar i mi ddod leni ag oedd o llynedd, chwaith—

ond cymryd yn ganiataol y baswn i yma oedd o, debyg. Ro'wn i wedi addo dod leni yn syth ar ôl y parti Dolig llynedd, pan soniodd o noson mor ddiflas oedd o wedi'i chael am 'mod i wedi gwrthod mynd efo fo i ganol criw'r Cymric. Ond ro'wn i'n meddwl y byddai'n ddoeth dod â Nia efo fi heno hefyd, rhag ofn y byddai Gwynedd eisiau sgwrsio efo'r bechgyn . . .

'Efo genod Cae Derwen maen nhw.'

'Be?'

'Y ddau'n eistedd yn braf yn 'u canol nhw. A bron na faswn i'n deud fod Iwan ar lin y beth dew 'na o sir Fôn.'

'Paid â rwdlan, Nia. Pwy . . . pwy sy 'na i gyd, felly?'

'Bethan Dafis, Angharad Wyn, Llinos Charles, y gochan—Luned Bengoch maen nhw'n 'i galw hi, dwed?—a'r beth dew 'na a . . . ac Anna.

'Anna . . . oedd yn byw yn dre 'cw ers talwm?'

'Ia, dyna ti, Lleucu. Mae hi wedi symud i fyny o Aber y tymor yma. Wedi newid 'i chwrs ar ôl blwyddyn yno. Y Gyfraith oedd hi'n 'i neud yn Aber, ond roedd yn well ganddi newid i neud Cymraeg, medda hi.'

'Ia, dw i'n gwybod. Mae Gwynedd wedi deud 'i hanes hi wrtha i.'

'Y Gyfraith oedd yn rhy anodd iddi, siwr Dduw. Palu clwydda am golli llenyddiaeth Gymraeg! Mi fydda hi wedi gallu dewis Cymraeg yn y lle cynta os oedd hi mor ffond ohono fo.'

'Wyt ti'n meddwl?'

'Meddwl? Gwybod, 'ngenath i. Wnest ti styried pam 'i bod hi wedi newid coleg hefyd? Mi fydda hi wedi gallu gwneud Cymraeg yn Aber.'

'Gwell cwrs ym Mangor, medda Gwynedd.'

'Gwell cwrs, o ddiawl. Dim digon o wyneb i drïo twyllo'i chydfyfyrwyr yn Aber oedd yn gwybod amdani, yli. Roedd rheini'n dallt 'i chastia hi, doeddan?'

'Tybed? Roedd hi'n arfer bod yn glyfar iawn yn yr ysgol ers talwm. Wyt ti ddim yn cofio, Nia?'

'Oedd, 'radeg honno. Cyn iddi ddechra cymryd mwy o ddiddordeb mewn dynion na dim arall.'

'O.'

Ro'wn i wedi clywed ambell si o gwmpas y lle fod Anna'n boblogaidd iawn efo bechgyn y Brifysgol. Nid bod Gwynedd wedi bod yn hel unrhyw straeon felly. Ond mae rhai o enethod y Cymric yn barod iawn i edliw hanes unrhyw un sy'n cael mwy o sylw na nhw'u hunain. Dyna pam nad ydw i'n credu *pob* stori rydw i'n 'i chlywed y dyddiau yma. Poblogaidd fu Anna erioed, yntê?

Rhyfedd fod y bechgyn mor hir cyn dod yn ôl hefyd. Mae'n siwr fod genethod Cae Derwen wedi tynnu arnyn nhw . . . ar Iwan, am fod Nia wedi dod efo fi, heno. Ac mae Gwynedd yn ceisio achub cam hwnnw, mae'n siwr, chwara teg iddo fo.

'Reit, Lleucu. Dw i wedi cael llond bol o hyn. Dw i am 'i hel hi o 'ma. Rhyngot ti a dy botas.'

'Na, aros funud. Fedri di ddim mynd o 'ma dy hun, Nia. Mae'n rhy bell i ti feddwl cerdded i'r *George*. Mae'r allt i Fangor Ucha'n ddigon drwg, heb sôn am fynd i lawr i Safle'r Fenai, wedyn . . . Yli, mae'r bechgyn yn dod, beth bynnag.'

Siglai Iwan tuag atom yn gelfydd iawn, gan osgoi'r byrddau eraill er ei fod yn siarad dros ei ysgwydd â Gwynedd yr un pryd:

'Uffar o hogan ydi hi, 'te Gwyn? Argol, fasa'n ddim gen i . . . Fasat *ti'n* iawn yn fan'na, wsti . . . Welis i'r winc 'na gest ti. Aw! Be uffar oedd isho rhoi cic i mi'r diawl?'

'Wel, genod . . . Ydach chi wedi rhoi'r byd yn 'i le?'

Roedd cwestiwn Gwynedd yn

ddigon diniwed wrth i'r ddau eistedd o bobtu i ni, ond roedd Nia'n amlwg yn disgwyl ymddiheuriad:

'Mi wn i pwy faswn *i'n* licio'i roi yn 'i le.'

'Vaughan Hughes. Ydw i'n iawn, Nia?'

Er na chafodd Iwan ateb ganddi, roedd o'n mynnu dyfalbarhau:

'Nac ydw? Wel, na, hwyrach nad ydach chi tua'r Normal 'na ddim yn gwerrrth-fawrogi holi trrreiddgar y Vaughan o Fôn. Hwyrach mai Wogan y Wig ydi uchafbwynt eich deach . . . deall . . . usrwydd chi, decini. Be wyt ti'n ddeud, Gwyn?'

'Taw pia hi, Iwan. Mae'r bleinds i lawr, yli.'

'Duw, Duw . . . jest am fod dy sgert di yna, does dim isho achub 'u cam nhw bob munud, nag oes?'

Ro'wn i'n sylweddoli fod Nia bron â ffrwydro, ond doedd gen i ddim llawer o syniad sut i ddiffodd y ffiws. Gwynedd ddylai gael trefn ar betha,

ond tawedog iawn oedd o tra bod
Iwan ym mynnu procio'r tân:

'Ty'd fŵan, Nia fach. Yfa dy ddiod
yn hogan dda i Yncl Iwan, a mi gei di
sws fawf yn y munud, cyn mynd i dy
wely at Tedi . . . '

'Cau dy geg, y clown! Rwyt ti'n
waeth na'r babanod gês i ar ymarfer
dysgu. Pam nad ei di'n ôl at griw Cae
Derwen, ac ar lin y ffatsan 'na o sir
Fôn? Fan'no mae dy le di, efo potel
yn dy geg i'w chau hi.'

Roedd tafod Nia mor finiog ag
erioed, ond roedd Iwan yn dal i
wamalu:

'Uffar dân, taswn i ar lin honna
faswn i ddim angen potel! Mae'n
siwr 'i bod hi'n cario galwyn ymhob
teth!'

'O'r mochyn! Os nad wyt *ti'n*
mynd, mi dw *i'n* mynd.'

'Be wnei *di* ar 'i glin hi? Sugno dy
fawd, 'ta sugno . . . Aw!'

Roedd clustan Nia wedi'i ham-
seru'n berffaith, a'r syndod ar wyneb

Iwan yn werth ei weld. Syndod, yn hytrach na chasineb, oedd yn ei lais, hefyd:

'O'r bitsh!'

Roedd yr ergyd wedi llacio tafod Gwynedd o'r diwedd:

'Byhafia rŵan, Iwan. Neu mi eith petha'n flêr 'ma.'

'Dydi rhai bechgyn mawr erioed wedi dysgu byhafio, Gwyn.'

Nia oedd yn mynnu troi'r cleddyf yn y clwy, ac roedd hi'n amlwg wedi cael digon o'r gwmniaeth:

'Dw i'n mynd, Lleucu. Cerdded neu beidio . . .'

Roedd Iwan, hefyd, wedi gweld y penllanw erbyn hyn:

'Sori, Nia. Yli, aros di efo Lleucu. Mi a i o 'ma . . . i gadernid Cae Derwen . . . na, dydi hwnna ddim yn cyngyn . . . cyng . . . haneddu. Ond ella y bydd rhywbeth arall yn cyngh . . . beth 'na . . . cyn diwedd y nos . . . Fasa ti'n licio dod efo fi, Gwyn? Mae 'na barti arall yng Nghae Derwen, wedyn, wsti . . . '

Golwg sarrug iawn gafodd o gan Gwynedd. Ond roedd hwnnw'n mynnu hebrwng Iwan yn ôl at y genethod.

'Gwynt teg ar 'u hola' nhw, Lleucu. Wel, ar ôl un ohonyn nhw o leia.'

'Oedd, roedd o braidd yn ddigwilydd, heno.'

'*Braidd* yn ddigwilydd? Digwilydd ddiawledig, ddwedwn i.'

'Ond dyna fo, mi gawn ni lonydd rŵan, Nia. Fydd hi ddim o bwys gan Gwynedd dy fod ti efo ni.'

'Na, Lleucu. Dydw i ddim am aros 'ma. Gwynedd neu beidio. Dw i wedi cael llond bol ar Y Cymric. Mistêc oedd dod yma. I mi, beth bynnag.'

Roedd Nia'n gallu bod yn benstiff, weithia. Hwyrach y gallai Gwynedd ddylanwadu arni i beidio â cherdded adre ei hun. Ond mae hwnnw'n llusgo'i draed efo'r genethod 'na eto, yn lle dod yn ôl yma. O, diolch byth, dyma fo o'r diwedd.

'Mae Nia'n rwdlan 'i bod hi am fynd adre rŵan, Gwynedd. A dw inna'n deud wrthi am beidio â bod mor wirion. Deud ditha wrthi.'

'Mi geith hi fynd adre os ydi hi isho mynd.'

'Diolch am y croeso, Gwyn!'

'Ond Gwynedd . . .'

Ro'wn i wedi synnu braidd at ei ymateb. Doedd o ddim mor glên ag arfer, a braidd yn ddiamynedd. Ond hwyrach ei fod yntau wedi cael digon ar y parti:

'Yli, mi ddanfona i chi'ch dwy adre rŵan, os ydach chi'n barod.'

'Er mwyn i ti gael dod yn ôl yma, wedyn, i fwynhau dy hun?'

Nia ofynnodd y cwestiwn, er 'mod inna'n ofni hynny, hefyd.

'Pwy ddudodd 'mod i'n dod yn ôl yma?'

'Ama', dyna i gyd.'

'Yli, Nia. Wyt ti eisiau pas adre neu beidio?'

Ydi, mae o'n fyr iawn ei amynedd

erbyn hyn. Mynd efo fo ydi'r peth calla, gan na fyddai fawr o hwyl aros yma os ydi o'n y felan.

'Wyt ti'n sâff i ddreifio, Gwyn?

Doedd o ddim wedi yfed llawer, dw i'n gwybod, ond go brin y byddai'n pasio'r prawf anadlu petai'r heddlu'n ei ddal.

'Dw i'n iawn, Lleucu!'

'O'r gora. Ti ŵyr dy betha. Ty'd Nia, awn ni i 'nôl ein cotia.'

Tawedog iawn fu'r tri ohonon ni ar y siwrna'n ôl i'r Neuadd yn y *Beetle* bach: Nia wedi sorri'n bwt, Gwynedd yn canolbwyntio ar ei yrru, a finna'n meddwl am Gwynedd. Ond pan gyrhaeddon ni'r *George*, ac i Nia'n gadael ni'n ddigon ffwrbwt, nid sws nos da oedd ganddo fo i mi.

'Ddoi di am dro bach, Lleucu?'

'Be? Rŵan?'

'Ia. Mi ddylen ni gael sgwrs am . . . am betha.'

Doedd hi ddim yn argoeli'n dda. Siwrna arall dawedog yn ôl at y pier.

Parcio'r car a'i drwyn at y Fenai, a diffodd y peiriant a'r golau. Syllu'n fud ar oleudau glannau Môn yn wincio'n y Fenai. Sylwi fod y lleuad yn taflu'i pherlau arian i'r môr i gyfeiriad Biwmares, ond fedrwn i mo'i gweld hi. Roedd hi'n noson braf, allan.

Ro'wn inna'n brathu 'ngwinadd ers meitin yn nhywyllwch oer y car, tra bo Gwynedd yn ei chael hi'n anodd dechrau'i sgwrs:

'Dydw i . . . dydw i ddim isho deud hyn, ond. . . ond mae'n rhaid 'i ddeud o rywbryd. Mae . . mae petha wedi newid, Lleucu. Wyt ti'n dallt?'

Ro'wn i'n meddwl 'mod i, ond fedrwn i ddweud yr un gair: dim ond syllu'n syth o 'mlaen ar y Fenai, a gweld goleuadau Môn yn troi'n sêr gwlyb oedd yn wincio'u gwawd arna i drwy'r dagrau oedd yn cronni'n ara.

'Dwn i'm be sy wedi digwydd, Lleucu. Ond dydi petha ddim fel y buon nhw.'

Bron na fyddwn i wedi canu'r geiriau yna'n ôl iddo fo, oni bai am y lwmp yn 'y ngwddw i.

'Dydan ni . . . dydan ni ddim yn gallu rhannu'r un diddordeba, rywsut, erbyn hyn . . . '

'Doeddwn i ddim wedi sylwi . . . '

'Na'r un . . . profiada . . . '

Ro'wn i'n arfer meddwl ein bod ni'n gallu rhannu rheini'n arbennig o dda—yn gorfforol, hefyd . . .

'Hwyrach . . . hwyrach y basa'n well i ni. . . . adael petha rŵan . . . cyn y bydd hi'n rhy hwyr.'

Rhy hwyr i bwy Gwynedd? Rhy hwyr i wneud be, Gwynedd? Rhy hwyr i fynd at bwy, Gwynedd? Ac wrth ddechra gwylltio efo fo, daeth fy llais i'n ôl.

'Wedi blino arna i, wyt ti?'

'Na, dim hynny, Lleucu . . . '

'Fel roeddat ti wedi blino ar Gwerfyl, ers talwm?'

'Be wyt ti'n 'i feddwl?'

'Wyt ti ddim yn cofio? Gwerfyl? Dy gariad di . . . am gwta flwyddyn.'

'Ond Lleucu . . .'

'Wel, mi wnes i'n well na hynny'n do? Faint ges i, dwed? Blwyddyn, dwy, dwy a hanner?'

'Paid â gwneud petha'n anodd . . .'

'Anodd? Anodd i bwy?'

'I ti dy hun, Lleucu.'

'Hy! Meddwl pryd ddiffoddodd y fflam ydw i. Ar ôl dwy flynedd, debyg. Y tymor yma, debyg. Yntê Gwynedd?'

'Fedra i ddim dweud yn iawn . . .'

'Na fedri, mwn. Ond mae gen i syniad go dda, erbyn hyn. Pan ddaeth honna o Aber i dy hudo di.'

'Pwy?'

'Paid â meddwl 'mod i mor ddiniwed nad ydw i wedi sylweddoli fod rhywbeth wedi digwydd y tymor yma. Dw i wedi ceisio'i guddio fo. Oddi wrtha i'n hun, hyd yn oed. Doeddwn i ddim isho cydnabod y peth, Gwynedd. Ond dw i'n iawn, 'tydw?'

Roedd y distawrwydd yn y car yn ateb yr holl gwestiynau ac yn cadarnhau yr holl amheuon.

'Wel, dos ati, 'ta!'

A dyma fi'n agor y drws a chamu allan i'r nos.

'Lleucu! Lleucu! Ty'd nôl . . . i mi gael dy ddanfon di adre.'

Ond doeddwn i ddim eisiau'i ffafr ola fo. Pe bawn i'n cerdded yn sydyn i fyny heibio'r coleg, siawns na chawn i bas adre gan rywun fu'n loetran yn hwyr wrth y siop jips ym Mangor Ucha.

'Lleucu! Gwranda am funud . . . '

Roedd o wedi cychwyn y car ac wedi troi ar fy ôl i. Ond wnes i ddim aros i wrando, na throi i edrych arno fo. Doeddwn i ddim eisiau iddo weld y dagrau oedd yn sgleinio 'mochau i.

'Wel, paid 'ta! Gawn ni sgwrs eto, Lleucu, pan fyddi di wedi dod atat dy hun.'

Y diawl! Y diawl iddo fo! Sgwrs

am be? Dod ata i'n hun, wir! Pryd fydd hynny, tybed? Dydd Santes Dwynwen?

Ac i ffwrdd â fo'n ei gar i fyny am y coleg. Dyna pryd y sylweddolais i 'nghamgymeriad yn dod y ffordd yma. Mae'r ffordd yma'n mynd heibio i Gae Derwen.

Er ceisio f'argyhoeddi fy hun wrth nesu at y lle na ddylwn i syllu heibio'r clwydi mawr, methu peidio wnes i. A dyna lle roedd y *Beetle* bach yn sgleinio yng ngolau'r lleuad—yn disgwyl parti arall.

YR AMBIWLANS

'Pwy drefnodd yr ambiwlans, 'ta?'

'Doctor Tom, mae'n debyg, Mam.'

'Ond doedd dim rhaid cael ambiwlans, siwr. Pobol sâl sy'n cael ambiwlans.'

'Sut arall allwn ni fynd â chi? Does gen i ddim car, nag oes? Ac mi *rydach* chi'n ... Wel, dydach chi ddim yn *dda*, nag ydach?'

'O, rwyt ti'n gwneud gormod o ffys, Lleucu fach.'

Mae Mam yn dal i 'ngalw i'n 'Lleucu fach', er y bydda i'n dair ar hugain eleni, ac yn dysgu yn y dre 'ma ers deunaw mis, bellach. Ond dydi'r bwlch o bron i ddeugain mlynedd rhyngon ni yn mynd ddim gronyn llai, wrth gwrs. Ac rydw i mor ymwybodol o'r bwlch hwnnw heddiw ag y bûm i erioed.

Wrth edrych arni'n pwyso ar obennydd ei gwely gan wlychu ei bisgedan blaen yn ei phaned, mae'n anodd credu nad ydi hi'n tynnu am ei phedwar ugain, yn hytrach na'r trigain y bydd hi fis nesa, os caiff hi fyw.

'Pryd daw o, 'ta?'

'Be?'

'Yr ambiwlans. Pryd daw o i 'nôl i?'

'Tua amser cinio, ddudodd Doctor Tom. Dibynnu pa mor brysur maen nhw.'

'Ar ôl cinio, gobeithio. Neu mi fydd yn rhaid i mi fwyta'r hen sothach 'na maen nhw'n ei alw'n fwyd yn y 'sbyty.'

'Sut gwyddoch chi mai sothach ydi o?'

'Dyna be mae pawb yn 'i ddeud, 'te?'

Doedd dim pwrpas i mi ddadlau mwy, gan fod Mam a minna'n gwybod yn iawn mai prin y byddai'n bosib cael unrhyw fwyd o sylwedd heibio'i gwefusau hi.

Ro'wn i wedi'i gwylio hi'n dirywio

dros y misoedd diwetha, ac wedi amau'r gwaetha rai wythnosau cyn i Doctor Tom gydnabod mai'r hen gansar 'na oedd yn bwyta'i pherfedd hi. Mae'n siwr ei bod hithau wedi hen amau erbyn hyn, hefyd, ond doedd yr un ohonon ni wedi yngan y gair hyll wrth ein gilydd.

Gan fod Mam wedi dechra cael pyliau go giami tra o'n i'n y coleg y ces i swydd adre 'ma. Doedd ganddi hi neb arall.

'Fyddi di'n iawn yma dy hun nes do i adre?'

'Wrth gwrs y bydda i'n iawn, Mam. Dw i wedi gofalu amdana i'n hun ers tro byd.'

Ac amdanoch chitha, Mam . . . ond fasa fiw i mi ychwanegu hynny. Rydw i wedi gorfod bod yn ofalus iawn 'mod i ddim yn rhoi'r argraff iddi ei bod hi'n dibynnu arna i o gwbwl, hyd yn oed yn ei gwaeledd. Mae hi wedi bod yn annibynnol, erioed. Wedi gorfod bod felly, ers iddi gladdu 'nhad pan o'n i'n ddim o beth.

Dydw i ddim yn meddwl 'mod i'n cofio 'nhad. Mae'n anodd bod yn siwr gan fod cymaint o bobol wedi sôn amdano fo: sôn sut oedd o wedi gwirioni arna i, a be oedd o'n chwara efo fi pan o'n i'n fychan iawn. Ond cofio *amdano* fo ydw i, mae'n debyg, nid ei gofio fo.

Y llwch aeth â fo, meddan nhw. Llwch yr un lechen las a aeth â'i dad o'i flaen. Does ryfedd fod Mam wedi rhoi'i chas ar y chwarel ar hyd y blynyddoedd, hyd yn oed ar ôl iddi gau. Mae hi wedi rhoi'i chas ar lawer o betha erioed, gan gynnwys Gwynedd pan wnaeth hwnnw dro gwael â fi.

'Gobeithio na chadwan nhw mono i yn yr hen le 'na fwy na diwrnod neu ddau, neu mi fydd yn rhaid i ti ddod i 'ngweld i. Dwn i'm sut y doi di, chwaith . . . '

'Mi fydda i'n siwr o ddod rywsut, Mam.'

'Ia, ond does dim isho i ti fynd i ddibynnu ar neb, cofia.'

'Olreit, 'ta. Wn i be wna i. Cogio 'mod i'n sâl. Ac mi ga inna ambiwlans, wedyn.'

'Taw'r hurtan! Diolcha nad wyt ti'n gorfod cael un. A mi dw i'n siwr y baswn inna wedi gallu mynd ar y bỳs, hefyd, pe bawn i wedi cael cyfle i drefnu'n hun.'

Dyma ni eto. Y ddwy ohonon ni'n siarad ar ein cyfer, fel rydan ni wedi'i wneud erioed. Byth yn wynebu'r gwir, neu o leia byth yn trafod y gwir efo'n gilydd. Biti am hynny hefyd, gan mai dim ond ni'n dwy oedd adre i drafod dim.

Dyna'r rheswm fod Mam wedi bod mor . . . mor bell, mae'n siwr. Mae hi wedi gwneud ei gora glas i sicrhau nad o'n i'n dibynnu gormod arni, gan 'mod i'n unig blentyn. Roedd hi'n benderfynol 'mod i'n tyfu i ofalu amdana i'n hun. Wel, mae hi wedi llwyddo i wneud hynny o leia, ond mi fyddai hi wedi bod yn braf rhannu profiadau efo hi weithia hefyd.

'Sut le ga i ganddyn nhw, tybed?'

'Cystal â neb arall, debyg.'

'Ond cha i ddim lle'n hun, na chaf?'

'Na chewch. Mae'n rhaid talu am hwnnw. Dim ond pobol gefnog fedar gael lle iddyn nhw'u hunan.'

'A phobol wael iawn.'

'Ia, Mam . . . Hwyrach na chewch chi mo'r ambiwlans i chi'ch hun, chwaith.'

'Awgrymu nad ydw i ddim yn ddigon gwael i hynny, hyd yn oed, wyt ti? Ro'wn i'n deud y basa'n well i mi fynd ar y bỳs.'

'Mi fyddech chi wedi gorfod rhannu hwnnw, hefyd.'

'Ond mi fydda 'na ddigon o le ar beth felly. Fydda 'na neb yn eistedd o 'mlaen i ac yn syllu ar 'y meddylia i.'

Mi fyddwn i wedi rhoi ffortiwn lawer tro am allu syllu i'w meddyliau hi: wrth grïo fy rhwystredigaeth plentyn ar ôl "na" arall; yn fud fy 'styfnigrwydd arddegol ar ôl "na" pan ofynnwn iddi am gael mynd i'r fan ar fan efo 'nghyfoedion; ac yn daer fy ymbil hŷn iddi geisio mwynhau ei hun, weithia—a minna'n profi'r gwynfyd cynnar efo Gwynedd . . .

'Ac mi fydd hi'n ofnadwy o swnllyd yno, gei di weld. Pawb yn rhuthro i bob man fel gafr ar darana.'

'Gwneud eu gwaith maen nhw, Mam.'

'Mwya'r brys, mwya'r rhwystr, Lleucu.'

'Ond mae brys yn gallu achub bywyda, Mam.'

'Mae brys wedi difa bywyda, hefyd.'

Brathu 'nhafod wnes i, unwaith eto. Roedd ganddi hi ateb i bob peth, boed hwnnw'n un rhesymol ai peidio. Dyna fyddai un o'i hamddiffynfeydd hi wrth fentro i faes mwy dyrys na'i gilydd.

'Pawb yn holi perfadd ei gilydd.'

'Be?'

'Dyna sut bydd hi yno. Y cleifion eraill yn drwyn i gyd, yn enwedig y rhai sy wedi bod yno'n hir, neu'n troi ar wella.'

'Mam fach, rydach chi'n swnio fel taech chi wedi treulio hanner eich oes mewn 'sbyty.'

'Naddo, diolch i'r drefn.'

'Sut gwyddoch chi gymaint am hynt a helynt 'sbytai, felly?'

'Wedi clywed digon amdanyn nhw, yli.'

'Ond fyddwch chi byth yn hel straeon 'run fath â'r lleill yn y stryd 'ma.'

'Na fyddaf, ond rydw i wedi gorfod gwrando llawer dros y blynyddoedd. Ac mi welis i fwy nag o'n i isho'i weld pan oedd dy dad . . . '

Ond dyna hi'n stopio'n stond ar ganol brawddeg. Mi wyddwn i'r rheswm. Fydd hi byth yn sôn am 'nhad. Ac roedd yngan ei enw fo rŵan yn gymaint o sioc iddi hi ag oedd o i mi.

'Ydach chi . . . ydach chi wedi darfod efo'r baned 'na?'

Damia! Dyna finna'n chwarae'r un gêm. Gêm anwybyddu 'nhad.

'Do. Waeth i ti fynd â hi, ddim. A'r fisgedan 'ma, hefyd.'

Wrth estyn am y llestri y sylwais i fod sglein o ddeigryn yng nghornel ei llygaid hi, a'i bod yn cael trafferth efo'r lwmp yn ei gwddw. Mi deimlwn inna'n reit chwithig. Doedd hi ddim yn un am rannu'i theimladau. A wyddwn i ddim sut i'w hannog hi i wneud. Gadael y llofft wnes i, heb yngan gair.

Wrth dywallt dŵr berwedig dros y llestri gwyn, ro'wn inna'n teimlo rhywbeth yn cronni tu ôl i'n llygaid. Dyma'r unig set o lestri dw i'n ei chofio hi'n eu defnyddio—os nad oedd 'na bobol ddiarth yn y tŷ. A phrin drybeilig fu rheini, erioed. Er 'mod i wedi prynu llestri newydd rhad iddi ers blynyddoedd, dim ond fi fyddai'n eu defnyddio nhw, fel arfer.

Dim ond un gwpan oedd ar ôl o'r hen set, bellach, ond roedden ni'n dwy'n ofalus iawn ohoni.

'Gobeithio na wna i dorri'ch cwpan chi tra byddwch chi o 'ma.'

Ceisio gwthio'r cwch i'r dŵr o'n i ar ôl dychwelyd i'r llofft.

'Cymer di ofal na wnei di ffasiwn beth, neu mi . . . neu mi . . . '

Ond doedd hi ddim yn bosib cwblhau'r frawddeg. Trodd y cerydd yn ei llais yn wên ysgafn ar ei gwefus cyn i'r dagrau ymddangos eto a chyn i'r lwmp ddychwelyd i'w gwddw.

'Peidiwch â phoeni, Mam bach. Mi ofala i am eich cwpan chi.'

'Gnei . . . gnei . . . dw i'n gwybod.'

Roedd hi'n cael trafferth ynganu'r geiriau, ac roedden ni'n dwy'n gwybod nad y gwpan yn unig oedd yn ein poeni ni.

'Presant . . . presant oeddan nhw,

wsti.'

'Ia, ro'wn i'n ama hynny, Mam. Presant priodas?'

'Ia . . . presant dy . . . dy dad i mi. Doedd gynnon ni ddim pres i brynu dim byd na fydda . . . na fydda o werth i ni bob dydd.'

Ro'wn i'n gweld fod cysgod o wên ysgafn yn gymysg â'r dagrau:

'Ond . . . ond chafodd o fawr o gyfle . . . i'w defnyddio nhw.'

'Rydach *chi* wedi gwneud defnydd helaeth ohonyn nhw, Mam.'

'Do, debyg.'

'A . . . ac mae'n siwr y basa fo'n falch o hynny.'

'Basa, Lleucu fach. Basa.'

Am y tro cynta ers i mi allu cofio roedd rhyw dynerwch rhyfedd yn y 'Lleucu fach'. Ac ro'wn inna'n dechra teimlo rhyw agosrwydd newydd at Mam. Ond fedrwn i ddweud dim wrthi i geisio pontio'r blynyddoedd. Dim ond gafael yn ei llaw, a'i theimlo'n feddal o fregus.

'Dydi'ch dwylo chi ddim mor arw ag oeddan nhw ers talwm, Mam.'

'Nac ydyn, debyg. Dydyn nhw ddim yn gorfod gweithio llawn cymaint y dyddia hyn. Mae 'na bâr arall wedi cymyd 'u llc nhw'n tocs?'

'Dim ond helpu fel mae angen, 'te Mam?'

'Ac mae mwy o angen bob dydd . . .'

Roedd hi wedi cael y gair ola, unwaith eto.

'Mae'n well i mi fynd i 'morol . . . neu mi fydd yr ambiwlans yma cyn i ni droi.'

Beth yn union oedd hi'n 'i olygu wrth y frawddeg ola 'na? Dyna oedd yn mwydro 'mhen i wrth i mi gas-glu'r ychydig ddillad nos taclus oedd ganddi ar gyfer yr ysbyty: un goban newydd, hen ffasiwn, ond heb ei gwisgo erioed; coban arall weddol, rhag ofn; y pâr o slipars a wisgai pan fyddai'n disgwyl rhywun diarth gyda'r nos; ychydig o ddillad isa, amrywiol eu cyflwr gan henaint.

Doedd dim llawer o bwrpas i mi bacio unrhyw fwydiach ar ei chyfer, ac roedd hi'n ddigon anodd gwybod beth i baratoi'n ginio iddi heddiw, cyn mynd. Mae'n debyg mai'r bara llaeth roedd hi'n ofyn amdano amla y dyddiau hyn fyddai ora ganddi. Roedd hwnnw wedi bod bron â throi fy stumog i droeon yn ystod yr wythnosau diwetha. Ond ro'wn i'n falch o allu ceisio'i phlesio hi heddiw.

Wrth fynd â'r bowlen wen i mewn i'r llofft iddi, ro'wn i'n ymwybodol 'mod i'n gwenu'n naturiol—nid y wên ro'wn i wedi gorfod ei chreu yn bur amal yn ddiweddar. Mae'n rhaid bod rhyw gynhesrwydd newydd yn tyfu rhyngon ni.

'Dim hanes o'r ambiwlans?'

'Na, mi gewch chi orffen y wledd yma o leia, 'ta be fyddwch chi'n gorfod 'i wynebu ar ôl hwn.'

'Fydd dim posib i ti sleifio peth o hwn i mi pan fyddi di'n dod i 'ngweld i?'

'O . . . rydach chi'n disgwl fisitors, felly?'

'Dim ond un, Lleucu fach . . . '

Ac wrth geisio chwerthin, dechreuodd besychu, pesychu a phesychu'n ddiddiwedd ncs oedd hi'n methu â chael ei gwynt; nes oedd hi'n tagu ar ei bara llaeth. Ro'wn i'n ceisio taro'i chefn yn ysgafn, ond roedd hi mor eiddil yn 'y mreichiau i, ac ro'wn i ofn gwneud niwed gwaeth iddi.

O'r nefoedd, be wna i? Mae hi'n tagu! Fedra i mo'i gadael hi . . . i nôl neb o tŷ nesa . . . neu i ffonio Doctor Tom . . . Mae hi'n tagu! Mae hi'n marw . . . yn fan'ma, yn 'y mreichiau i. Mae hi'n marw.

Wedi iddi lonyddu, ro'wn i'n gosod ei phen yn ôl yn dyner ar y gobennydd pan glywais i gnoc ar y drws. Dyma lusgo'n ara at y ffenest. Roedd 'na ambiwlans newydd sbon y tu allan, a dau mewn lifrai wrth y tŷ. Doedd yna neb arall i'w weld yn yr ambiwlans, chwaith . . .

A cha inna fyth syllu i'w meddyliau hi.

Y CONDOMS

'Pwy bia nhw, felly?'

'Mi dw i wedi deud wrthot ti, Llcucu. Un o'r athrawon 'cw.'

'Pa un o'r athrawon? Pam na ddudi di pwy sy bia'r condoms 'na? Un o'r athrawon 'cw, wir! Rwyt ti mor annelwig, Iwan, dydw i ddim yn dy goelio di.'

'Dydw inna ddim isho rhannu cyfrinacha'r staff efo pawb.'

'Efo pawb? Y nefoedd wen, Iwan. Fi ydi dy wraig di! Wyt ti ddim yn dallt? Dyma fi'n ama dy fod ti'n hel dy dîn efo rhyw ddynas arall, ac mi wyt ti'n malu . . . hwnnw . . . am gyfrinacha'r staff! Wyt ti wedi drysu?'

'Dennis! Dennis bia nhw, os oes rhaid i ti gael gwybod.'

Ar ôl enwi'i gydathro yn adran Hanes yr ysgol uwchradd, roedd Iwan wedi gadael y bwrdd swper ar frys gan osgoi edrych arna i. Ro'wn i'n bur amheus ohono fo, ond doeddwn i ddim yn siwr beth neu pwy oedd o'n ceisio'i guddio. Ro'wn i wedi bod yn gwbwl ddryslyd ers i mi ddod o hyd i'r pecyn condoms o dan yr hancesi glân yn ei gwpwrdd dillad. Benthyca hances at yr annwyd 'ma o'n i, ar ôl dod adre o'r ysgol y pnawn 'ma.

Yn ystod dwy flynedd a mwy ein priodas, doeddwn i erioed wedi cael unrhyw sail dros amau ei fod o'n cambyhafio o'r blaen. Doedd o mo'r dyn i wneud hynny . . . am wn i. Fel cymeriad hoffus o ddigri yr o'wn i wedi'i adnabod o ym Mangor, ac un a oedd yn fwy hoff o'i beint nag o hel merched. Ond mae'n debyg 'mod inna'n dal mor ddiniwed na fyddwn i wedi sylweddoli pe bai yna unrhyw fisdimanars yn mynd ymlaen.

Hwyrach y byddai'n ddoeth i mi gael gair bach efo Gwerfyl. Hi ddaeth â ni at ein gilydd, ar ôl iddi ddod yn ôl i'r dre 'ma i weithio yn y llyfrgell. Roedd hi wedi canlyn a phriodi athro

Cymraeg yr ysgol uwchradd ymhen dim, a phan drefnodd hi a Gwilym eu bod nhw'n mynd â fi allan am swper, wyddwn i ddim y byddai Iwan yno hefyd.

Doeddwn i ddim wedi cael cyfle i gymdeithasu rhyw lawer ar ôl dechra yn yr ysgol gynradd gan fod Mam, druan, angen ei thendans. Ac ar ôl i mi ei cholli hi, doedd gen i fawr o awydd mynd allan i hel tai, hel tafarnau na hel dynion. Roedd Iwan wedi bod acw'n cydymdeimlo fel llawer un arall, ond prin y buon ni'n sgwrsio am ddyddiau coleg yr adeg hynny. Mae'n debyg ei fod o'n sylweddoli mai atgofion digon poenus oedd gen i am y cyfnod hwnnw, hefyd.

Dros swper efo Gwerfyl a Gwilym fodd bynnag, roedd hi'n llawer haws sôn am y presennol na'r gorffennol, ac ymhen ychydig fisoedd roedd Iwan a finna'n cynllunio'r dyfodol efo'n gilydd. Roedd pawb wrth eu boddau, wrth gwrs: hen bryd i'r hen

Iwan setlo i lawr, meddan nhw. Ac er na ddywedodd neb hynny yn 'y nghlyw i, mae'n siwr eu bod nhw'n gytûn 'mod inna wedi fy achub rhag bod yn hen ferch weddill fy oes.

Dyma fi, felly, yn wraig ifanc ... gweddol ifanc o leia ... yn athrawes barchus, naw ar hugain oed, newydd ganfod y gallai'i gŵr fod yn ei thwyllo. Roedd hi'n anodd iawn credu hynny. Ac eto, doedd yr honiad am Dennis ddim yn argyhoeddi, 'chwaith.

'Pam 'u bod nhw'n dy ddrôr di, felly?'

Ro'wn i wedi'i ddilyn o i'r lolfa, ac yn pwyso ar ffrâm y drws yn disgwyl am ateb.

'Be?'

'Os mai Dennis sy bia nhw, pam 'u bod nhw wedi'u cuddio o dan dy hancesi di, yn dy ddrôr di?'

'Am ... am nad o'n i isho i ti 'u gweld nhw.'

'Be sy mor ofnadwy ynglŷn â chondoms na ddylwn i 'u gweld nhw?

Ro'wn i'n arfer gweld digon ohonyn nhw gen ti cyn i mi fynd ar y bilsen.'

Er nad edrychodd o arna i, mae'n amlwg iddo sylweddoli fod cwestiwn arall am eu ffynhonnell hcb ei ateb:

'Fi prynodd nhw . . . i Dennis . . . fel jôc.'

Ro'wn i'n dal heb fy argyhoeddi, ac roedd yntau'n sylweddoli hynny:

'Rwyt ti'n gwybod am y cwrs Hanes fwrw'r Sul. Wel, mae . . . mae Dennis a finna'n mynd ar hwnnw . . . a . . . ac ro'wn i am roi'r pecyn iddo fo bryd hynny. Jôc fach, dyna i gyd.'

'Gwranda, Iwan. Sut gwn i nad ar dy gyfer di dy hun y prynist di nhw? A dy fod ti wedi gobeithio cael sesh fach efo rhyw athrawes Hanes o ysgol arall yn y sir 'ma tra byddwch chi ar y cwrs?'

Wrth wrando ar y cwestiwn, gloywi wnaeth ei wyneb, yn hytrach na gwelwi gan euogrwydd.

'Am nad oes 'na'r un athrawes Hanes yn y sir 'ma, gwaetha'r modd. Dynion ydyn nhw i gyd. A dim ond dynion fydd ar y cwrs. Wyt ti'n fodlon rŵan?'

Roedd ei wên foddhaus yn awgrymu ei fod o wedi ennill buddugoliaeth, ond roedd gen i un cwestiwn arall:

'Be ydi'r jôc fawr o roi condoms i Dennis, felly, os na fydd o'u hangen nhw ar y cwrs?'

'Uffar dân, Lleucu. Rwyt ti'n waeth na thwrna!'

Ro'wn i'n amlwg wedi'i daflu oddi ar ei echel. Cododd yn sydyn, a brysiodd am y cyntedd.

'Dw i'n mynd am beint. A gobeithio y bydd y llys barn drosodd erbyn y do i adre.'

Wnes i ddim ymdrech i'w rwystro rhag mynd allan, er bod hynny'n beth anarferol iawn iddo bellach, ganol yr wythnos fel hyn. Ond gan fod cymaint o betha anarferol eraill wedi digwydd heddiw, roedd mynd am beint yn swnio'n ddigon diniwed.

* * * * * *

'Gwerfyl? Lleucu sy 'ma Sut ydach chi yna?'

Ar ôl pendroni'n faith a fyddai'n ddoethach i mi alw draw am sgwrs, penderfynu ffonio wnes i yn y diwedd. Hwyrach y byddai'n haws holi cwestiynau delicet *heb* orfod syllu i fyw llygaid hen ffrind ysgol.

'Ar i fyny, diolch yn fawr i ti. A chitha'ch dau?'

'Chydig o annwyd, ond ddim yn ddrwg . . . ran iechyd, am wn i . . .'

'Be wyt ti'n 'i feddwl, Lleucu— "am wn i"? Oes 'na rywbeth wedi digwydd i un ohonoch chi?'

'Nag oes, am wn i. Ond bod Iwan . . . yn ymddwyn braidd yn . . . yn od.'

'Od? Ers pryd? Wnaeth Gwil ddim sôn fod dim o'i le ar Iwan yn yr ysgol.'

'Wel na, does 'na ddim byd o'i le

arno fo, am wn i. Ama ydi o wedi dechra cyboli efo rhywun ydw i . . .'

'Argol fawr, Lleucu! Paid â deud! Dydi Gwil ddim wedi sôn dim am hynny chwaith. Dydi o ddim adre rŵan. Dosbarth cynganeddion ar nos Fawrth. Neu mi faswn i'n gofyn iddo fo'n syth bin.'

'Na, mae'n siwr y bydda fo wedi deud wrthot ti, tae o'n gwybod rhyw-beth.'

'Bydda, debyg. Os na . . . os nad ydi o'n sylweddoli y baswn inna'n siwr o ddeud wrtho *ti*, a'i fod o'n teimlo y bydda'n well . . . Ew, na, Lleucu . . . mi faswn i wedi cael achlust o ryw fisdimanars yn sâff i ti. Deud am holl helyntion y staff y bydd o fel arfer . . . pwy sy'n canlyn pwy, pwy sy'n ffansïo gwraig pwy . . . Ond soniodd o 'rioed amdanat ti . . . nag am Iwan.'

'O, dyna ni, felly . . . Diolch i ti, beth bynnag . . .'

Ro'wn i ar fin ffarwelio pan dorrodd

Gwerfyl ar 'y nhraws:

'Ond rwyt ti wedi clywed am Nia, debyg?'

'Naddo . . . be mae honno wedi'i neud rŵan?'

'Gadael 'i gŵr.

'Be?'

'Do, cofia. Wedi'i ddal *o'n* cambyhafio efo rhywun arall . . . Wel, ddim 'i ddal o'n llythrennol. Ond cael praw' meddygol 'i fod o'n cyboli.'

'Sut felly, Gwer?'

'Roedd hi wedi ama nad gweithio'n hwyr oedd o bob nos, a phan welodd hi staen ar sedd gefn y car, mi drefnodd hi fod rhywun yn cynnal praw' meddygol ar hwnnw.'

'Ia? Be wedyn?'

'Roedd y praw'n dangos mai hâd dynol oedd y staen, a doedd gan 'i gŵr hi ddim coes i sefyll arni, wedyn, nag oedd? Ha! Ha! Dim coes . . .'

Hwyrach y byddwn i wedi gwerthfawrogi'r jôc pe na bai hi mor agos i'r asgwrn—yr asgwrn ro'wn i'n dal angen ei grafu efo Iwan.

'Nia, druan. Be neith hi rŵan, Gwer?'

'Ysgariad, meddan nhw. Dydi hi ddim yn barod i fyw efo dyn sydd wedi'i thwyllo hi, meddan nhw.'

'Nac ydi, debyg. Wel, diolch i ti, beth bynnag, Gwer.'

'Am be, dwed?'

Ond cyn canu'n iach, dyma fentro un cwestiwn bach arall:

'O, ia . . . Dwyt ti ddim wedi clywed unrhyw stori am Dennis, wyt ti? Yr athro Hanes arall . . . ?'

'Hwnnw! Mae 'na ddigon o straeon am hwnnw.'

'Ydi o'n un garw am y genod, felly, Gwer?'

'Genod? Fydda fo ddim yn gwybod be i neud efo nhw tae 'na hanner dwsin o genod noeth yn tynnu amdano fo!'

'Pa straeon sy 'na am Dennis, felly?'

'Lleucu fach, paid â bod mor ddiniwed. Nid genod ydi'i ddileit o. Gŵr ifanc *neis* ydi Dennis. Neis iawn, hefyd.'

'O.'

Ro'wn i wedi'n syfrdanu. Ac yn amau pob math o betha ar unwaith. Ond fedrwn i ddim trafod mwy efo Gwerfyl.

'Nos da i ti, Gwer.'

'O . . . nos da, 'ta. Cofia fi at Iwan. Mi fydda i'n siwr o holi Gwil amdano fo, ond go brin 'i fod o'n cyboli efo neb, Lleucu. Dydi o mo'r dyn i neud hynny, decini. Nos da, rŵan.'

Brawddeg ola Gwerfyl oedd yn mwydro 'mhen i am oriau, wedyn, wrth i mi olchi'r llestri swper ac eistedd o flaen y teledu heb gymryd unrhyw sylw o'r rhaglenni. Roedd hi wedi ategu'r union beth ro'wn inna wedi'i dybio. Os nad oedd o'r math o ddyn fyddai'n cyboli efo merched, tybed . . . tybed oedd o'n . . . Ond fedrwn i ddim credu hynny, chwaith.

Doedd o erioed wedi rhoi'r argraff fod dynion yn golygu dim iddo fo. Roedd Iwan mor ddynol yn ei wely ag unrhyw ddyn, am wn i. Hwyrach ei fod o'n dynerach nag oedd Gwynedd, ers talwm, ond bod yn ofalus ohona i ac o'n anghenion i oedd o, debyg. Ac ro'wn i'n ei barchu a'i werthfawrogi o am 'y nhrin i felly.

Ac eto . . . ro'wn i wedi darllen am ddynion oedd wedi sylweddoli beth oedd eu gwir natur a'u hanian ar ôl priodi a chenhedlu. Dynion yn tynnu tua'r canol oed yn cyfarfod â dynion eraill a oedd wedi golygu rhywbeth iddyn nhw a chael eu hargyhoeddi fod tueddiadau gwahanol i'r cyff-redin yn hollol naturiol a derbyniol . . .

Ond fedrwn i ddim yn 'y myw â derbyn fod hynny'n naturiol i Iwan. Doedd gen i ddim rhagfarnau ffyrnig yn erbyn dynion hoyw, ond fedrwn i ddim credu y gallai'r dyn yr o'n i wedi'i briodi—wedi'i garu mor naturiol ac angerddol ag unrhyw wraig—fod y dyn *hwnnw* yn hoyw.

Roedd hi'n anodd ceisio rhesymu holl ryfeddodau'r oriau diwetha. Ond wrth restru'r elfennau perthnasol fesul un, roedd y dirgelwch yn awgrymu un ateb tebygol—yr ateb ola y byddwn i wedi'i ragweld na'i ddymuno: Iwan yn cuddio pecyn condoms . . . cyn mynd i ffwrdd efo Dennis . . . oedd yn wrywgydiwr yn ôl pob sôn . . . ar gwrs i ddynion yn unig. Pa ateb arall oedd yn bosib? Roedd Iwan yn hoyw!

* * * * * *

'Be uffar ydi'r olo . . . olwg od 'na sy ar dy wep di?'

Roedd sawl peint o gwrw yn sgleinio yn llygaid Iwan pan ddaeth o adre tua hanner nos. Ro'wn inna'n dal i eistedd o flaen y teledu yn gweld dim o'r lluniau fu'n ceisio 'niddori ers oriau.

'Wyt ti wedi colli dy dyd . . . dy

95

dafod, Lleucu?'

'Naddo.'

Roedd mwy o ochenaid nag o lais
yn fy ateb wrth i mi ddiffodd y
teledu.

'Pam na ddud . . . ddudi di rwbath,
'ta, yn lles . . . yn lle sbïo mor sur-
bwch arna i?'

'Deud be, Iwan?'

'Deud . . . deud . . . O, uffar, dwn
i'm be ddudi di, wir.'

Wrth dynnu'i anorac, llithrodd yn
ara bach i'r gadair esmwyth y bu'n
pwyso arni ers meitin.

'Sgen ti'm byd i'w ddeud, 'lly?
Dim byd i'w ddeud wrth dy ŵr.'

'Dim llawer.'

'O . . . Dim llawer. Mae gen ti *rwbath*
i ddeud, 'lly . . . Dim llawer, dwi'n
gwybod. Ond mae dim llawer yn well
na dim . . . dim. Tydi?'

'Os wyt ti'n deud.'

'Os ydw *i'n* deud? Naci'n tad, os
wyt *ti'n* deud . . . .'

'Pam nad ei di i dy wely, Iwan?'

'Ty'd rŵan, dwi isho clywed y 'dim llawer' sy gen ti i'w ddeud. Chymer hi ddim llawer . . . i ti ddeud dim llawer. Ty'd rŵan, Lleucu.'

Penderfynu dweud dim wnes i ar y pryd, oherwydd ei gyflwr, ond doedd hynny'n amlwg ddim yn tycio.

'Condoms! Y condoms sy'n dy boeni di, dw i'n gwybod. Wel, mi wyt ti wedi gweld condoms o'r blaen . . . mi wyt ti'n gwybod be ydi con-doms . . . mi wyt ti'n gwybod pam fod pobol . . . na, dim pobol . . . dyn-ion . . . mi wyt ti'n gwybod pam fod *dynion* yn gwisgo condoms. Maen nhw'n rhwsh . . . Maen nhw'n rhwystro damweinia bach . . . dam-weinia bach sy'n gneud babis bach . . . ddim bob tro, cofia . . . ond ran amla . . . mae condoms yn saffach na dim condoms . . .'

Ond ro'wn i'n gwybod, hefyd, fod teclynnau o'r fath yn fwy poblogaidd nag y buon nhw ers talwm am resymau eraill. Nid rhwystro damweiniau naturiol rhwng dynion a merched oedden nhw'n unig, ond rhwystro afiechydon rhwng dynion a merched, a . . . a rhwng dynion a dynion hefyd, mae'n siwr gen i.

'O, ia . . . dw i wedi 'nghy . . . 'nghofio un peth . . . un peth pwysig, pwysig. Mae condoms yn rhwystro'r aflwydd 'ffernol 'na hefyd, meddan nhw. Mae condoms i fod i rwystro dyn rhag rhoi *aids* i ddynes, a . . . ac yn bwysicach byth . . . rhwystro dynes rhag rhoi *aids* i ddyn. Dyna ni, dyna ti'n gwybod y cyfan rŵan. Dyna be mae condoms yn 'i neud. Handi iawn, condoms.'

'Maen nhw'n gneud un peth arall, hefyd, Iwan.'

'Uffar dân, ers pryd wyt ti'n har-be . . . arben . . . igwr ar gondoms?'

'Maen nhw'n rhwystro afiechydon rhwng *dynion,* hefyd.'

'Pwffs wyt ti'n 'i feddwl? Wst ti be? Ti'n iawn. Maen nhw'n help i rheini, hefyd. Maen nhw'n rhwystro pwff rhag rhoi *aids* i bwff.'

Doeddwn i ddim wedi disgwyl iddo ddefnyddio'r gair yna amdanyn nhw, chwaith. 'Hoyw' oedden nhw'n arfer galw'i gilydd, yn ôl pob sôn.

'Dyna fyddi di'n 'u galw nhw, Iwan?'

'Be? Pwff? Ia, pwff . . . neu . . . bansi . . . neu homo . . . neu *hoyw* os bydda i'n siarad efo rhywun pwysig, neu gwrw . . . gwrwgwd . . . O! uffar . . . hwnnw hefyd, pan fydda i'n medru'i ddweud o . . . '

'Be fyddi di'n ddeud wrth Dennis?'

'Uffar dân, fydda i byth yn sôn am y peth wrth hwnnw. O . . . Mi wyt titha'n gwybod, 'lly?'

'Gwybod *rhai* petha.'

Doedd dim awgrym o euogrwydd yn ei wyneb na'i lais. Ond ro'wn i'n benderfynol o geisio canfod y gwirionedd, er gwaetha gwiriondeb Iwan.

'Be . . . be wnaeth i ti sôn am Dennis, Lleucu? Hold on, Defi John! Condoms. Rydan ni'n ôl yn yr un twll, dydan? Hy! Hy! Glywist di? Yr un twll. Hy! Hy!'

'Iwan!'

'Sori . . . sori, Lleucu. Ro'wn i'n meddwl 'i fod o'n ddigri . . . ond dydi pawb ddim yn gwirioni 'run fath . . .'

'Nac ydyn.'

'Sori . . . Ia, Dennis a'r condoms . . . Jôc . . . wyt ti'n 'i gweld hi? Rhoi condoms i Dennis . . . am 'i fod o ar y cwrs . . . efo llond gwlad o ddynion, siwr . . .'

Ro'wn i'n dechra amau fy amheuon fy hun, ac yn dechra credu Iwan, mai jôc *oedd* y condoms, jôc aflednais athrawon anaeddfed. Ond, os mai felly oedd hi, diolch byth oedd fy ymateb i.

'Wyt ti'n fodlon rŵan, Lleucu? Ydi'r dil . . . dir . . . gelwch drosodd? Ga i fynd i 'ngwely, rŵan? Plîs . . .'

'Dos i dy wely, wir. Yn y gobaith y sobri di cyn y bore.'

Wedi iddo lusgo'i hun o'r gadair am y cyntedd a'r grisiau, ro'wn i'n dal i bendroni am ddigwyddiadau'r dydd. Os mai jôc ddiniwed oedd y cyfan, pam yr holl ddirgelwch? Pam fod Iwan wedi ceisio cuddio'r condoms rhag i mi eu gweld? Pam nad oedd o'n fodlon datgelu mai ar gyfer Dennis yr oedden nhw? A pham y gadawodd y tŷ mewn myll pan o'n i'n ei holi amdanyn nhw?

Dal i bendroni fûm i tan yr oriau mân. Doeddwn i ddim yn fodlon fod y cyfan wedi'i ddatrys. Clywed Iwan yn rhochian chwyrnu o'r llofft a'm ysgogodd i symud o'r gadair yn y diwedd. Ond wrth i mi gyrraedd y cyntedd bu bron i mi lewygu pan ganodd y ffôn wrth fy ochor. Cythrais amdano'n sydyn a gofyn yn wyllt:

'Pwy sy 'na?'

'Fi, Lleucu.'

'Pwy? O . . . Gwer. Mi roist di gythgam o fraw i mi.'

'Sori, Lleucu. Wyt ti wedi cael ffôn wrth dy wely?'

'Naddo. Pam?'

'Am dy fod ti wedi'i ateb o mor sydyn.'

'Rŵan o'n i'n mynd i 'ngwely. Be wyt *ti'n* i neud ar dy draed mor hwyr?'

'Rydw i wedi *bod* yn 'y ngwely. Ond yn methu cysgu . . . ar ôl cael sgwrs efo Gwil. Gorweddian, wedyn, a phenderfynu fod yn rhaid i mi gael gair efo ti. Ro'wn i'n ama mai ti fydda'n clywed y ffôn ac yn codi, tae chi'ch dau yn eich gwlâu. A . . . a doeddwn i ddim am ffonio'n gynharach rhag i Iwan glywed y sgwrs 'ma.'

'Be . . . be oedd gan Gwilym i'w ddeud, felly?'

'Chydig iawn, ar y dechra. Roedd o'n gyndyn o ddatgelu dim . . . am y gwydda fo mor agos oedden ni'n dwy. Ac y byddwn inna'n poeni amdanat ti . . .'

'Dwed wrtha i, Gwer, bendith tad.'

Ro'wn i ar bigau'r drain ers meitin:

'Ydi o'n ... Ydi Iwan yn ... yn hoyw?'

'Argol fawr, nac ydi! Be wnaeth i ti 'styried y ffasiwn beth?'

'Wel . . . O, dwn i'm wir. Be ... be oedd gan Gwil i ddeud wrthat ti, felly, Gwer?'

'Deud ... deud 'i fod o'n ama fod ... rhyw fisdimanars rhwng Iwan a ... a'r athrawes Saesneg newydd ddaeth yno eleni.'

'Athrawes Saesneg newydd ...'

Fedrwn i ddweud dim, dim ond ailadrodd geiriau Gwerfyl.

'Ia, a ... a'u bod nhw'n bwriadu mynd efo'i gilydd ... fwrw'r Sul yma.'

'Ond ... ond mae Iwan yn mynd ar gwrs Hanes dros y Sul ... efo Dennis.'

'Ydi, mi wn i hynny, Lleucu. Ond yn ôl Gwil, doedd Iwan ddim yn bwriadu aros yn yr un llety â'r gweddill ohonyn nhw. Roedd o'n mynd i aros mewn gwesty arall yn y dre ... efo'i ffansi ledi.'

Ro'wn i'n fud erbyn hyn. Roedd Gwerfyl, hitha, fel petai'n ymwybodol ei bod hi wedi dweud digon. A'r unig sŵn oedd rhyw ychydig glician ar y lein, a chwyrnu o'r llofft.

'Os oes yna rywbeth y medra i 'i neud, Lleucu... Ty'd draw am sgwrs, nos yfory... Ty'd draw i aros, os mynni di. Mae'r llofft gefn yma'n...'

'Diolch, Gwer. Diolch i ti. Am bob dim.'

'Cofia, rŵan. Unrhyw adeg y byddi di angen sgwrs... neu rywbeth.'

'Nos da, Gwer.'

'Nos da, Lleucu fach.'

Y tosturi yn llais Gwerfyl wrth iddi ddweud 'Lleucu fach' ddaeth â'r dagrau i'n llygaid i. Roedd hi wedi'n atgoffa i o Mam. Wrth eistedd yn ôl ar gadair y lolfa, daeth rhyw bwl o unigrwydd drosta i.

Er gwaetha pellter emosiynol Mam dros y blynyddoedd, ro'wn i wedi teimlo gwacter mawr ar ôl ei cholli hi. Iwan ddaeth i lenwi'r gwacter hwnnw. Ac wrth i mi eistedd yn y lolfa rŵan, yn syllu ar y silff ben tân lle mae'r pecyn condoms yn cuddio y tu ôl i'r piser bach piwtar, sŵn chwyrnu Iwan sy'n llenwi'r tŷ.

Ond rydw i'n gwybod fod y cartre'n wag i bob pwrpas, a 'mod i ar 'y mhen fy hun, unwaith eto.

Y FALŴN

'Rydach chi wedi cael un plentyn o'r blaen, 'n do, cariad?'

'Do, nyrs.'

Doeddwn i ddim yn siwr ai dyna'r teitl cywir iddi yn ei gwisg wen oedd yn dynn o fychan amdani, a doedd gwên nawddoglyd ei hymateb ddim yn cadarnhau hynny, chwaith. Ond roedd crychau ei thalcen a bloneg ei breichiau yn dyst fod yr orchwyl hon yn un gyfarwydd iawn iddi. Ac wrth i mi arogli surni ei chwys pan oedd hi'n clymu'r cadach pwysedd gwaed am 'y mraich, doedd o affliw o bwys gen i beth oedd ei theitl cywir.

'Bachgen oedd hwnnw, yntê, cariad?'

'Ia, dyna chi. Gwion. Mi fydd o'n bedair mewn rhyw ddeufis.'

'O, 'ngwas i. Mi fydda ynta wedi gwirioni cael chwaer fach, decini.'

Bydda, bydda, bydda! Ond dim

hanner cymaint ag y byddai'i fam o wedi gwirioni cael geneth fach.

'Ond maen nhw wedi deud wrthoch chi y bydd petha'n wahanol y tro yma, tydyn cariad?'

'Ydyn, nyrs.'

Maen nhw wedi dweud y bydd petha'n boenus iawn, ac na fydd cysur i gyfiawnhau'r boen ar y diwedd.

'Dyna chi, 'ta, cariad. Mi ddaw Doctor i ddechra'r driniaeth mor fuan ag y medar o. Mae hi'n andros o brysur yn Matyrniti heddiw, cariad.'

Ydi, mwn! Fel roedd hi bron i bedair blynedd yn ôl pan ddaeth Gwion bach i'r byd. Roedd hynny'n ddigon poenus, yn enwedig pan fu'n rhaid cael yr efail i'w dynnu o allan yn y diwedd am ei fod o mor fawr. Naw pwys a hanner braf, ac yn iach fel cneuen.

Roedd Iwan wedi clywed sgrechiadau cynta'i fab o'r ystafell gyferbyn lle bu'n rhaid iddo gilio pan benderfynwyd defnyddio'r efail arna i. Roedden ni wedi gobeithio y byddai Iwan efo fi gydol yr enedigaeth, ond erbyn y diwedd doedd hi affliw o bwys gen i lle oedd o. Cael y cena bach allan oedd y peth pwysica. Iwan oedd braidd yn siomedig, bryd hynny, ond mae o wedi mopio'n lân ar Gwion.

Rydan ni wedi dod dros helynt yr athrawes Saesneg yn o lew. Pan gyflwynais i honiadau Gwerfyl iddo fo'r bore canlynol ers talwm, syrthio ar ei fai wnaeth o'n syth, a chydnabod ei fod o wedi bwriadu bod yn hogyn drwg. Aeth o ddim ar y cwrs Hanes . . .

Roedd hi'n anodd iawn maddau iddo fo, ond doedd gen i ddim llawer o ddewis. Er ei fod o wedi ffansïo'r athrawes, roedd o'n taeru nad oedd dim go iawn wedi digwydd rhyngddyn nhw cyn hynny, ac yn addo na fyddai o'n caniatáu i sefyllfa debyg godi wedyn.

Bu'n rhaid iddo osgoi pob cwrs preswyl am rai blynyddoedd ar ôl hynny er fy mwyn i, ac mae Gwerfyl yn fy sicrhau i nad oes unrhyw fisdimanars arall wedi digwydd. Roedd yntau'n sylweddoli fod llygaid barcud yn ei wylio yn yr ysgol, ac nad oedd ganddo ddewis ond byhafio os oedd o am gadw'i wraig.

Er i mi fod yn bur ansicir o 'nheimladau tuag ato fo am gyfnod go faith, mae'n rhaid cydnabod iddo geisio'i ora glas i gyfannu'r bwlch oedd rhyngon ni, a'i fod o wedi 'nhrin i'n annwyl iawn ers hynny. Mae Gwion bach yn dyst ei fod o wedi llwyddo i raddau helaeth, a phur anaml y byddwn i'n ysglyfaeth i'n amhcuon ar ôl i hwnnw ddod i lenwi 'myd i.

* * * * * *

'O! Fan'ma wyt ti, Lleucu. Mae 'na gymaint o ddrysa. Ro'wn i ofn agor hwn a gweld rhywun arall yma.'

'Ty'd mewn, 'ta, yn lle sefyll yn fan'na fel iar ar ben doman. Lle wyt ti wedi bod mor hir, Iwan?'

'Methu â chael lle i barcio, yli. Dw i wedi cerdded milltiroedd rownd pob math o adeilada yn chwilio am y fynedfa iawn.'

'Wel, stedda rŵan, 'ta, bendith tad, yn lle cwyno bob munud.'

'O, ia. Iawn. Fydda i ddim o ffordd neb yn fan 'ma?'

Ond cyn iddo setlo yn y gadair freichiau felen wrth ochor 'y ngwely, agorodd y drws drachefn. Pwtyn byr cymharol ifanc o gyfandir Asia ddaeth i mewn, a'i gôt wen yn pwysleisio tywyllwch ei groen. Tu ôl iddo, fel rhyw ysbryd mawr gwyn, roedd y globan o nyrs fu yma'n gynharach. Llygadodd Iwan.

'O, rydach chitha wedi cyrraedd.'

Dyna'r wên fyrra i mi ei gweld erioed. Ac roedd Iwan ar bigau'r drain hyd yn oed *cyn* iddi gyhoeddi:

'Dw i'n siwr y bydda'n well gan Doctor tae'ch gŵr chi'n mynd allan am funud neu ddau, cariad.'

Bu'n rhaid i minna wenu ar Iwan wrth ei weld yn stryffaglio i godi cyn gynted ag y gallai, fel tae o ofn am ei fywyd. Cododd ei aeliau a'i ysgwyddau arna i wrth fynd allan trwy'r drws.

'Dyna ni, cariad. Mae Doctor yn mynd i roi'r beipan yma i mewn rŵan i helpu petha.'

Roedd hi'n amlwg nad oedd y ddynes yma'n credu y dylai dynion siarad, ac yn mynnu gwneud hynny ei hun—amdanyn nhw ac yn eu lle nhw.

'Mi fydd y . . . y peth 'na . . . y peth . . . wel, mae'n siwr mai 'balŵn' fasach *chi'n* ei alw fo, cariad . . . '

Doedd hi ddim yn cofio'r enw meddygol, ond gan nad oedd y meddyg yn deall dim ohoni, doedd fawr o bwys ganddi be o'n i'n ei feddwl.

'Mi fydd hwnna'n helpu i wthio'r *foetus* allan, dach chi'n gweld, cariad—

ar ôl i ni basio *fluid* drwy'r beipan i . . . i'r falŵn, 'te.'

Gwên arall sydyn i guddio'i hanwybodaeth, ond chafodd hi'r un yn ôl. Ro'wn i'n teimlo'r meddyg yn dechra turio twnel i'r falŵn, ond doedd o'n cael fawr o lwyddiant. Dyma hitha i'w phoced gan estyn fflachlamp i geisio goleuo'r achos. Mi fyddwn i wedi chwerthin oni bai am y boen.

Os ydi'r falŵn fach yna a'i pheipan gul mor boenus â hyn, be aflwydd sydd o 'mlaen i? Gorwedd yn ôl, agor dy goesau a meddylia am . . . be ddudodd rhywun ers talwm? Ond rydw i'n siwr nad hyn oedd ganddyn nhw mewn golwg ar y pryd.

Argol fawr! Pa mor bell mae'r dyn bach yma'n gobeithio gwthio'i beipan? Meddylia am rywbeth, Lleucu fach! Peipan . . . dyn bach a'i beipan . . . peipan fach sydd gan hwn ei hun, dw i'n siwr . . . Ond mae'r bali beipan mae o'n ei gwthio rŵan yn debycach i beipan ddŵr yr ardd acw . . .

'Dyna chi, cariad. Popeth yn ei le rŵan, gobeithio.'

Gobeithio? Ydi, debyg. Ac wrth i'r meddyg gysylltu'i beipan â rhyw beiriant mawr wrth ochor 'y ngwely, dyma hitha'n cadw'i fflachlamp yn barod i oleuo'r twnel nesa. Rhodd-odd y meddyg bach y foesymgrymiad leia erioed wrth adael y 'stafell, a rhoddodd hitha wên nawddoglyd arall wrth weld hynny.

'Mi ddylech chi deimlo petha'n dechra gweithio ymhen rhyw hanner awr neu fwy, cariad.'

Os clywa i hon yn dweud 'cariad' unwaith eto, mi fydda i'n siwr o sgrechian.

'Ydach chi isho i mi ddeud wrth y gŵr am ddod yn ôl, cariad?'

'Os gwelwch chi'n dda.'

Rhwng fy nannedd yr atebais i hi— rhag sgrechian.

Ond wnaeth hi ddim cymryd arni 'mod i wedi ysgyrnygu. Wnaeth hi ddim cymryd llawer o sylw o gwbwl wrth hwylio allan o'r ystafell.

'Wyt ti'n iawn, cariad?'

'Paid titha dechra, Iwan.'

'Dechra be?'

Golwg syn ar wyneb Iwan ar ôl clywed fy ymateb i'w gwestiwn wrth iddo ddychwelyd drwy'r drws.

'Stedda yn fan'na, a phaid â galw 'cariad' arna i.'

'Pam?'

'Am 'mod i wedi laru clywed y nyrs fawr 'na'n deud hynny bob yn ail air.'

'O . . . *Nyrs* ydi hi, dwed, ynte . . . ?

'Dydi o affliw o bwys gen i, Iwan, be ydi hi. Ond mae hi wedi mynd ar . . . Aw! Maen nhw'n dechra, Iwan. Gafael yn fy llaw i . . . gafael yn dynn . . . '

Hanner awr neu fwy, wir! Doedd prin ddau funud ers iddi adael y stafell. Wel, cynta i gyd, gora i gyd! Er mwyn ei gael o drosodd. Gan fod yn rhaid i hyn ddigwydd . . .

Ond wrth i'r boen gynta gilio, ro'wn i'n dechra pendroni a oedd y rhaid i betha ddigwydd fel hyn mewn gwirionedd . . .

Tua pymtheg wythnos ar ôl dechra beichiogi y cododd yr amheuon cynta. Gan nad ydw i'n bymtheg ar hugain am bythefnos arall, doedd dim angen cael *amniocentesis* oherwydd fod Gwion yn iach ac nad oedd unrhyw hanes am broblema geneteg yn y teulu. Ond dangosodd y profion gwaed bryd hynny y gallai fod diffyg ar y *protein,* ac roedd rhaid cynnal archwiliadau pellach gan gynnwys yr *amniocentesis* wedyn.

Mynnai pob meddyg yn ei dro ei bod hi'n annhebygol iawn fod yna unrhyw ddiffyg gwirioneddol ar y bychan yn 'y nghroth i, ond roedd hi'n ddoethach sicrhau hynny. Bu disgwyl bron i bedair wythnos am ganlyniadau'r profion yn benyd ynddo'i hun. A phan ddaeth y canlyniadau, roedd hi'n amlwg fod rhywbeth o'i le. Disgwyl wythnos arall wedyn, i gyfarfod yr arbenigwr teithiol oedd yn ymweld â'r ardal acw unwaith y mis.

Daeth Iwan efo fi i'r cyfarfod hwnnw, ac ro'wn i'n falch o hynny gan fod newyddion yr arbenigwr mor ddyrys a difrifol fel bod gwaith cnoi cil ar yr holl sefyllfa ar ein ffordd adre. Roedd diffyg ar y cromosomau oedd yn penderfynu beth fyddai rhyw y baban. Dyna pryd y deallais i mai merch fach o'n i'n ei chario.

Wrth i'r celloedd ddechra gwahanu, yn gynnar yn y beichiogi, roedd y cromosomau rhyw wedi rhannu'n anghyfartal, gan adael un X yn hanner y celloedd a thair X yn yr hanner arall. Roedd pob cell a dyfai ar ôl hynny yn adlewyrchu'r un rhaniad anghyfartal. Ac er na fyddai'r effaith yn amharu ar ryw y baban, byddai sgil effeithiau eraill yn debygol o andwyo tyfiant a bywyd y baban.

Gan fod y cyflwr yma mor brin,

doedd yr arbenigwr ddim yn gallu dweud wrthon ni pa mor druenus fyddai cyflwr corfforol na meddyliol y baban, a doedd dim modd darogan chwaith a fyddai'r geni'n bosibl nag am ba hyd y byddai'r baban byw. Cyn cyrraedd adre'r diwrnod hwnnw, roedden ni wedi sylweddoli nad oedd ond un dewis yn ein wynebu, mewn gwironedd.

Wythnos diwetha oedd hynny, a dyma fi, bellach, ar ddiwrnod ola mis Ebrill, wedi dechra'r driniaeth erthylu, ac wedi cael gwybod y bydd y boen yn llawer gwaeth na gwewyr esgor naturiol. Wel, mae petha wedi dechrau'n ddigon drwg, beth bynnag. A dyma'r don nesa'n dod rŵan . . .

Ton ar ôl ton o boenau dirdynnol yn cyrraedd yn rheolaidd bob munud fel y mae bys eiliad y cloc crwn uwchben y drws acw'n nesu at y rhif tri, nes 'mod i'n dechra casau'r rhif hwnnw. Tri . . . hen rif annifyr . . . hen rif digymar . . . hen rif dros ben. Tri . . . y triongl tragwyddol . . . y ddynes arall . . . yr athrawes Saesneg . . . Anna yn y coleg . . . Gwerfyl yn y pwll nofio . . .

'Gwasga'r botwm yna, Iwan.'

'Be?'

'Y botwm 'na. Gwasga fo!'

'Rŵan?'

'Ia, rŵan, siwr Dduw!'

'Wyt ti'n siwr, Lleucu . . . ?'

'Gwasga fo!'

Ond er 'mod i'n credu fod Iwan wedi ufuddhau ar ôl y floedd ola, bu'r drws ar gau am dair ton arall.

'Ydach chi'n iawn, cariad?'

'Nag ydw. Ddim yn iawn, o gwbwl.'

'Poen, ia?'

'Ia, poen uffernol.'

'Maen nhw wedi deud wrthoch chi, tydyn, cariad?'

'Ydyn. Ac wedi deud hefyd fod pigiad i'w chael pan fydda'r boen yn ofnadwy.'

'Ond newydd ddechra ydach

chi . . . '

'Nage, nyrs, mae'r boen yn rheol-aidd ers i chi fynd o 'ma gynna.'

'Ond ar ôl hanner awr neu fwy mae . . .

'Chi neu fi sy'n diodde'r boen, ddynes?'

Roedd Iwan yn gogrwn ers meitin, a dyma fo'n gollwng fy llaw i rŵan, fel pe bai ganddo gywilydd o'i wraig. . .

'Nid chi ydi'r gynta cariad.'

O Dduw Mawr, dos â'r ddynes 'ma o 'ngolwg i er mwyn y tad . . . . Dw i'n gwybod nad fi ydi'r gynta . . . Ond wnes i ddim gofyn am gael bod yn y twll yma . . . Ai 'mai i ydi o fod petha wedi mynd o'i le? Ydi'r ddynes yma'n credu y dylwn i fod wedi mynd ymlaen â phetha er gwaetha pob peth?

'Trowch ar eich ochor, cariad.'

Sut ddiawl fedra i droi ar fy ochor â'r beipan 'ma'n sownd wrth hwnna . . . Ond mi drïa i . . . hyd yn oed os tynna i'r lle 'ma i lawr am 'y mhen . . . Rhywbeth i gael gwared o'r boen 'ma . . . '

'Dyna chi. Mi ddyla'r *pethidine* 'na'ch helpu chi.'

Diolch byth, dim 'cariad'! A diolch byth am y bigiad. A diolch byth ei bod hi wedi mynd. Ond mae'r boen yn ei hôl . . .

'Estyn y bowlan 'na, Iwan. Brysia!'

Dim ond mewn pryd y daliodd Iwan y bowlen o dan 'y nhrwyn i cyn i mi daflu i fyny. Roedd 'y mhen i'n troi ar ôl y bigiad, ac wrth stacio'n erbyn y boen mi ddaeth fy stumog i fyny. O, bobol bach, dydi hyn ddim yn hwyl o gwbwl . . .

Ar ôl rhoi'r bowlen yn ôl i Iwan ac wedi i hwnnw adael yr ystafell i chwilio am rywun i'w gwagio, dyma afael yn ffrâm y gwely y tu ôl i 'mhen. Roedd 'y nwylo'n wlyb gan chwys, ond teimlwn y ffrâm yn oer braf wrth i'r cyffur ddechra effeithio arna i . . .

Roedd y tonnau dirdynnol yn dal i daro'n rheolaidd, ond doedden nhw ddim mor ffyrnig erbyn hyn, ac ro'wn i'n hepian am rhyw hanner munud rhwng pob un.

* * * * * *

Wncs i ddim sylwi pryd y daeth Iwan yn ei ôl i'r ystafell, ond roedd o yno pan alwodd nyrs ifanc ar ddechra'r shifft nos.

'Sut mae petha 'ma erbyn hyn?'

Hanner gwenu wnes i, yn hytrach nag ateb, ac ar ôl iddi gymryd golwg sydyn ar y peiriant a'r cerdyn wrth droed y gwely, diflannodd drachefn. Ond o leia ro'wn i wedi goroesi shifft y globan fawr, a ddim yn debygol o'i gweld hi am yn hir iawn, gobeithio.

'Ydi'r boen yn llai?'

'Ydi, am wn i, Iwan. O, na . . . Dwn i'm wir . . .'

Roedd ton enbyd arall yn cychwyn, a'r cyffur yn dechra colli'i effaith erbyn hyn.

'Mi wyt ti yma ers rhai oria, rŵan, Lleucu.'

Ar ôl i'r don fynd heibio yr atebais i:

'Dw i yn y 'stafell 'ma ers deg munud wedi unarddeg y bore 'ma. Am bum munud i bedwar y pnawn 'ma y daeth y Doctor bach â'i falŵn i 'ngweld i. Ac mae'r poena 'ma'n taro bob munud ers pedwar o'r gloch union!'

'Ac mae hi'n chwarter wedi naw, rŵan.'

'Wel, dyna ti. Gwna di'r sym dy hun, Iwan. Mae gen i betha pwysicach i'w gneud . . . o'r nefoedd!'

Hanner awr arall a bu'n rhaid galw'r nyrs eto.

'Oes posib cael pigiad arall, os gwelwch chi'n dda?'

'Dowch i ni weld, rŵan, pryd gawsoch chi'r ddiwetha, 'dwch?'

Ar ôl iddi graffu ar y cerdyn, ar y cloc, ac ar y cerdyn drachefn, ffromi braidd oedd hi.

'Pum awr sy 'na ers i chi gael pigiad. Ddylech chi ddim cael un eto am awr arall . . . '

Mae'n rhaid fod yr ymateb ar fy wyneb i wedi awgrymu'r brys.

'Ond os medra i gael gafael ar y Doctor, mi ofynna i iddo fo a gewch chi un cyn hynny.'

'Diolch, nyrs.'

* * * * * *

Diolch, o ddiawl. Mae awr union ers hynny, a does dim golwg o'r meddyg na'r nyrs. Mi wn eu bod nhw'n brin o staff yma, yn enwedig yn y nos, ond siawns na ddylai rhywun gael gwell gofal na hyn.

Ddeuddeg ton faith yn ddiwedd-arach y cyrhaeddodd y ddau efo'i gilydd. Daliai'r nyrs ifanc y drws ar agor i'r un meddyg bach Asiaidd, ond bod golwg dipyn gwelwach ar hwnnw hefyd, erbyn hyn. Llwyddodd i fy archwilio er 'mod i'n ei chael hi'n anodd dal fy hun yn llonydd ar anterth pob ton. Cip ar y peiriant, cip ar y cerdyn, y foesymgrymiad leia erioed, ac roedd o wedi mynd eto heb yngan gair, a'r nyrs ar ei ôl.

Dwy don ddirdynnol arall cyn i'r nyrs ddychwelyd, ond roedd offer y bigiad nesa ganddi, diolch i'r drefn.

'Pa ochor gawsoch chi'r ddiwetha?'

'Rhowch hi'n rhywle, nyrs fach, jyst rhowch hi!'

'Ydi hi cynddrwg â hynny arnoch chi?'

'Ydi, nyrs, a gwaeth. Diolch.'

'Y broblem, dach chi'n gweld, ydi'n bod ni'n trïo cael y babi o 'na cyn bod eich corff chi'n barod iddo fo ddod. Dydi'ch corff chi ddim wedi agor yn iawn i neud lle iddo fo eto, tra bo'r *fluid* rydan ni'n 'i roi i chi yn gwneud i'r corff drïo gael gwared ohono fo.'

Fedrwn i mo'i ateb hi, a gwenodd hitha'n dosturiol wrth adael yr ystafell. Ond ei geiriau ola oedd yn atseinio'n 'y mhen i am donnau lawer ar ôl iddi fynd, ac wrth i'r cyffur ail afael.

Cael gwared ohono fo . . . ohoni hi . . . Dyna o'wn i'n ei wneud . . . Cael gwared ohoni hi . . . Fi oedd wedi dewis y llwybr yma . . .Fi oedd wedi dewis cael gwared ohoni hi . . . Ac roedd y boen yn iawn. Roedd y boen yn gyfiawn. Ro'wn i'n haeddu'r boen am ddewis cael gwared ohoni hi.

Yn rhyfedd, roedd rhyw gysur od yn y ffaith 'mod i'n gorfod diodde'r arteithau fel iawn am 'y newis. Roedd hi'n haws diodde'r gwewyr wrth gredu hynny. Roedd Iwan wedi rhannu'r dewis efo fi, wrth gwrs, ac wedi cytuno'n llwyr mai dyma'r unig ddewis. Ond doedd hynny'n cyfri dim ar hyn o bryd. Fi oedd yn diodde, a fi ddylai ddiodde am yr hyn ro'wn i'n ei wneud.

Wrth i fys mawr y cloc crwn

gyrraedd hanner nos, dyma sylwedd-
oli ei bod hi'n fis newydd, yn ogystal
â diwrnod newydd. Mis Mai.

'Dyma fis . . . fy ngeni innau,
Gwyn fy myd bob tro y dêl . . . '

'Be? Be ddudist di?'

Roedd Iwan yn pendwmpian ers
meitin.

'Eifion Wyn . . . a finna . . . wedi'n
geni ym mis Mai.'

'O . . . Ia . . . '

Roedd o'n amlwg yn tybio 'mod i'n
rwdlan o dan ddylanwad y cyffur.
Ond ro'wn i'n ymwybodol iawn be
oedd arwyddocâd y mis. Ac yn
gwybod pwy arall fyddai'n cael ei
geni ym mis Mai—ond heb fod o'i
gwirfodd. Ro'wn i'n ei gorfodi hi i
adael y groth cyn pryd—fi a'r falŵn.
Fi a'r falŵn oedd yn gyfrifol am ei
thynged hi. Ac ro'wn i'n gwybod yn
iawn beth fyddai'r dynged honno.

* * * * * *

126

Am chwarter i bedwar y cyrhaeddodd hi, ychydig funudau ar ôl y falŵn. Fedra i ddim disgrifio'r profiad pan gyrhaeddodd hi. Oedd, roedd y boen ar ei heitha un eiliad, ac wedi darfod i bob pwrpas cymharol yr eiliad nesa. Ond nid dyna oedd y profiad. Profiad o wacter . . . Profiad fel chwydu . . . Profiad o gael gwared o rywbeth . . . Profiad o gael gwared ohoni hi . . . Profiad o golli rhywbeth . . . Profiad o'i cholli hi . . .

Ro'wn i wedi dweud wrth y nyrs 'mod i am ei gweld hi cyn iddyn nhw fynd â hi i ffwrdd am byth. Ac ar ôl i'r nyrs ac Iwan glirio peth o'r llanast ro'wn i a'r falŵn wedi'i wneud yn y stafell, ac i'r nyrs olchi corff y fechan mewn ystafell arall, daeth â'r bwndel cadachau i mi.

Wrth edrych arni, ro'wn i'n gweld ar unwaith o'i chyflwr hi ein bod ni wedi dewis yn iawn. Dyma roi un gusan fach dyner ar ei thalcen, cyn ei chyflwyno'n ôl i'r nyrs. Doedd Iwan ddim yn dymuno gafael ynddi, ond mi welwn i'r dagrau yn ei lygaid o.

Roedd 'y ngruddiau i'n sych wrth syllu heibio iddo ar y wawr yn glasu bore braf o Fai, ac wrth glywed drws yr ystafell yn cau ar ôl un na welwn i mohoni fyth eto.

Y TABLEDI

Hen lwynog cyfrwys ydi o. Hwyrach ei fod o'n gallu canu neu chwibanu'n well nag unrhyw aderyn arall, ond mae o'n hen lwynog cyfrwys, hefyd. Hen lwynog du, safn felen.

Edrychwch arno fo, rŵan, ar lawnt yr ysbyty meddwl 'ma . . . yn procio'r melfed gwyrdd efo'i big llachar . . . nes 'i fod o'n codi rhyw bry genwair bach diniwed i fusnesu ychydig fodfeddi oddi wrtho. Llam sydyn wedyn, a chipio blaen y mwydyn efo'i big . . . cyn dechra ymrafael tynnu rhaff â chorff y creadur . . . tynnu a thynnu . . . bownsio tynnu â'i holl egni . . . nes rhwygo'r pry genwair hirfain yn rhydd o'i wâl. Llowc sydyn wedyn, a'r mwydyn yn diflannu'n gyfan i lawr gwddw gwancus y llwynog du, creulon.

Dyna sut maen nhw eisiau i mi lyncu'r hen dabledi 'na. Llowc sydyn, ac anghofio popeth amdanyn nhw. Dyna mae Trefor yn ei ddweud bob tro:

'Dowch rŵan, Lleucu, un llowc fach sydyn, ac mi gewch chi anghofio bob dim amdanyn nhw, wedyn . . . '

Anghofio, wir. Anghofio eu bod nhw'n ceisio cyflyrru 'nghorff i efo'u cyffuriau. Dydi 'nghorff i ddim angen eu cyffuriau nhw. Mae 'nghorff i wedi'i gyflyrru'i hun i beidio â theimlo chwant rhywiol cyn dod i'r hen le mawr 'ma. Dydw i ddim isho rhyw efo neb . . . dim Iwan na neb. Mae rhyw yn hyll . . . yn atgas . . . yn ffiaidd . . . a dydw i ddim o'i isho fo byth eto.

Mae hi wedi cymryd llawer o amser i mi sylweddoli hynny, ond mae o'n benderfyniad cwbl resymegol. Ar ôl . . . wel, ar ôl be ddigwyddodd dair blynedd yn ôl. Fydda i ddim yn siarad am be ddigwyddodd bryd hynny. Wnes i erioed drafod y peth efo neb. Wnes i ddim trafod yr erthylu efo Iwan, hyd yn oed.

Doedd yna ddim byd i'w drafod, nag oedd? Roedd hi wedi mynd. Roedden nhw wedi mynd â hi i ffwrdd y bore cynta hwnnw o Fai, a doedd yna ddim byd ar ôl. Dim byd i'w wneud, dim byd i'w drefnu. Dim angladd a dim crïo.

Mi fûm i'n ddewr iawn. Ro'wn i wedi arfer crïo am lawer o betha, ond y tro yma doedd dim byd ar ôl i grïo amdano fo . . . amdani hi. Mi fûm i mor ddewr fel na wnes i ddim siarad am y peth efo neb. Ac ro'wn i'n gwrthod gadael i Iwan drafod y peth efo fi, hefyd.

Dacw fo'r hen lwynog du . . . Mae o wrthi eto . . . rhyw hen ysfa ynddo fo, debyg . . . methu gadael llonydd iddyn nhw . . . y petha bach, diniwed . . . fel ro'wn i'n methu peidio . . . wel, bron â methu peidio . . . er nad ydw i wedi dweud dim wrth neb o'r blaen.

Gweld babanod bach eraill o'n i . . . genethod bach, a . . . . ac isho gafael ynddyn nhw, isho'u magu nhw . . . Ro'wn i isho cadw un i mi fy hun . . . mynd i ffwrdd yn bell, bell o bob man . . . a mynd â geneth fach efo fi . . . i'w magu hi . . . i'w hanwesu hi . . . i'w charu hi . . .

Wnes i ddim dweud hynny wrth Iwan, chwaith. Dim ond dweud 'mod i isho plentyn bach arall . . . geneth fach. Ond ro'wn i ofn . . . ofn cael plentyn arall . . . ofn cael . . . ofn y byddai rhywbeth o'i le. A fedrwn i byth bythoedd wynebu hynny eto . . . y dewis, y penderfyniad na'r boen . . . y boen arteithiol honno am ddeuddeg awr.

Ys gwn i faint o boen mae'r pry genwair yna'n deimlo rŵan wrth gael ei rwygo o'i gynefin? Ydi o'n debyg i'r boen o rwygo babi o'r groth cyn ei bryd? Wna i mo hynny eto.

Ac er 'mod i'n dyheu yr adeg hynny am gael geneth fach yn fwy na dim yn y byd, ro'wn i ofn o fis i fis . . . ofn y gallwn i fod yn disgwyl . . . gan na fedrwn i wynebu hynny eto. Ac rydw i'n gwybod yn iawn mai'r ofn hwnnw ddifethodd y berthynas efo Iwan.

Ro'wn i wedi mynd i ofni cymaint bob mis nes penderfynu na fedrwn i ddim byw efo'r ofn hwnnw. Doedd dim ond un peth amdani, felly. Peidio â charu'n gorfforol. Gwrthod caru. Doeddwn i ddim yn fodlon defnyddio unrhyw offer neu bilsen i andwyo 'nghorff ymhellach. Ac ro'wn i'n casâu condoms ers blynyddoedd.

Rydw i'n gwybod fod Iwan wedi cynnig mynd am driniaeth ei hun i sicrhau na fyddai'n bosib i ni genhedlu, ond roedd hi'n rhy hwyr erbyn hynny. Ro'wn i wedi rhoi 'y nghas ar yr holl fusnes, a doeddwn i ddim isho meddwl am y peth.

Chwara teg i Iwan, roedd o'n ofnadwy o resymol ynglŷn â'r sefyllfa . . . yn rhy ofnadwy o resymol, nes mynd ar 'y nerfau i. Roedd o'n glên am wythnosau, am fisoedd, nes iddo ddechra poeni am Gwion bach.

Teimlo oedd o 'mod i'n rhoi gormod o sylw i Gwion. Dadlau oedd o 'mod i'n rhy warchodol o'n mab bychan, ac yn 'i ddefnyddio i 'nghysuro'n hun, ac y gallai hynny niweidio Gwion yn y pen draw.

Niweidio, wir! Fyddwn i byth yn niweidio Gwion. Ond doedd Iwan ddim yn dallt. Doedd 'na neb yn dallt. Ac am nad oedd neb yn dallt yr ydw i yn eistedd ar y fainc 'ma, heddiw, ar bnawn braf yng nghanol Mehefin.

Maen nhw'n dweud eu bod nhw wedi dod o hyd i mi'n crwydro yn 'y nghoban, ganol nos, ar Galan Mai. Ond mae'n anodd gen i gredu hynny. Dydw i ddim yn cofio dim am beth felly, o gwbwl. Dydw i ddim yn cofio llawer sut oedden nhw'n 'y nhrin i yma ar y dechra chwaith. Y peth cynta rydw i'n 'i gofio'n iawn ydi'r tabledi, ac mae'n siwr 'mod i wedi llyncu dwsinau ohonyn nhw cyn sylweddoli beth oedd eu pwrpas. Nid bod neb wedi cydnabod hynny, ond mae rhywun yn dod i ddallt y petha 'ma.

Trefor ydi'r gwaetha. Mae o'n gafael amdana i wrth geisio gwneud i mi lyncu'r tabledi. Does dim rhaid iddo fo afael amdana i. Rydw i'n casâu'r peth. Ond mi wn i pam ei fod o'n gwneud hynny. Mae o'n fy ffansïo i.

Mae'n anodd dallt hynny, hefyd. Os ydi o'n fy ffansïo i, mi fyddech chi'n tybio y bydda fo'n awyddus i minna ymateb. Ond yn lle hynny, mae o'n mynnu rhoi'r tabledi yna i mi. A phe bawn i'n eu cymryd nhw bob tro, yn lle esgus gwneud—fel y bydda i'n ei geisio bob cyfle posib— fyddai ganddo yntau ddim gobaith cael unrhyw ymateb byth. Hwyrach mai fo sydd ddim yn gall, go iawn.

Dyna i chi un arall ddim yn gall yn fan'cw. Yr eneth ifanc 'cw sy'n gwthio'r goets fach 'na, ochor bella'r lawnt. Mae hi'n y gwely nesa ond un i mi bob nos. Iselder sydd arni hitha, meddan nhw. Iselder, o ddiawl. Pa hawl sydd ganddi hi i fod yn isel ei hysbryd?

Mae ganddi hi fabi bach yn y goets 'na—geneth fach—nid dol fel sydd gan ambell un arall o gwmpas y lle 'ma. Ac efo geneth fach go iawn, pam y dylai hi gael iselder? Mi wn i nad oes ganddi hi ddim gŵr, ond mae ganddi hi eneth fach, toes? Mi fyddai'n well gen i gael un geneth fach na dwsin o ddynion yn 'y nhrin i.

Mae'n siwr y daw Iwan yma eto'r pnawn 'ma. Mae o'n dod yn amal iawn, chwara teg iddo fo . . . Ond mi fyddai'n well gen i tae o'n peidio . . . ar wahân i ddydd Sadwrn, fel hyn, wrth gwrs . . . Mae o'n dod â Gwion bach efo fo ar ddydd Sadwrn, gan amla. Gobeithio'r nefoedd y daw o â Gwion, heddiw. Rydw i wedi edrych ymlaen i weld hwnnw ers y Sadwrn diwetha.

Go dda! Mae'r eneth ifanc â'r goets

wedi dychryn y llwynog du i ffwrdd, wrth droi tuag ata i ar hyd ymyl y lawnt. Ond gobeithio na ddaw hi'n rhy agos yma, hefyd.

Mae'n siwr fod y babi'n cysgu, rŵan. Fedra i ddim dioddc clywed y babi'n crio. Mi fydda i isho codi ati pan fydd hi'n crio yn yr ystafell nesa yn ystod y nos. Rhyfedd mai fi sy'n ei chlywed hi amla, yn hytrach na'i mam. Mi fydda i'n clywed y wich fach gynta, pan fydda i wedi llwyddo i osgoi'r hen dabledi 'na.

Yr adeg hynny pan fydda i'n cwyno wrth y nyrs nad ydi'r eneth ifanc ddim ffit i fagu babi, fi sy'n cael ffrae am beidio â chymryd y tabledi. Hwyrach eu bod nhw'n meddwl 'mod i'n gwrthod y tabledi er mwyn cael babi fy hun.

Trefor ydi'r drwg, er na fydd o ddim yma'n amal yn y nos, diolch byth. Does wybod be fydda fo'n geisio'i wneud i mi tae o'n cael hanner cyfle yn y nos pan fydd pawb

arall yn cysgu . . . a finna heb gym-
ryd y tabledi.

Mae'r nyrs wedi ceisio 'nhwyllo i
mai tabledi cysgu sydd ganddi hi i mi
bob nos, ond dw i'n gwybod yn well
na hynny.

O, na! Mae'r goets yn dod ffor'ma.
Mi fydd yn rhaid i mi syllu'n syth o
'mlaen, yn lle gorfod edrych ar y
babi. Yr hen gnawes . . . mae hi'n
ceisio 'nhemtio i . . . gwthio'r babi
heibio 'nhrwyn i. Ond wna i ddim
edrych arni. Mi sylla i'n syth o
'mlaen . . . na, mi sylla i ar glwydi
mawr y fynedfa. Mi fydd hi'n meddwl,
wedyn, 'mod i'n chwilio am Iwan . . .
a Gwion bach.

Ty'd Gwion bach, ty'd i mi gael dy
weld di. Ty'd i mi gael gafael ynot
ti . . . dy anwesu di . . . dy feddiannu
di . . . Pam ddiawl na chaiff Gwion
aros efo fi yn yr ysbyty 'ma? Mae'r
eneth yna yn cael cadw'i babi hi, er
nad ydi hi'n gwybod sut i'w magu hi.
Dw i'n gwybod sut i fagu Gwion,

'tydw? 'Ngwas bach del i . . .

* * * * * *

Dacw fo! Dacw fo, Gwion bach. Diolch byth, mae o wedi dod i 'ngweld i heddiw eto. Codais yn syth oddi ar y fainc a rhedeg ar draws y lawnt at y clwydi mawr, er nad ydan ni i fod i gerdded ar y glaswellt. Ond dydi hi affliw o bwys gen i am hynny . . .

'Ty'd yma, 'nghariad i. Ty'd at Mami. Paid â bod yn swil. Ty'd â sws fawr i mi. Be sy mater arnat ti? Does dim isho i ti fod yn swil yn fan'ma . . .'

'Hylo, Lleucu. Sut wyt ti, heddiw?'

'Iawn diolch, Iwan. A sut mae 'nghariad bach del i? Y? Dwed ryw-beth, Gwion bach, dwed rywbeth wrth Mami . . .'

'Lleucu, paid â gwneud gormod o ffys ohono fo, os gweli di'n dda.'

'Ffys? Ffys? Be wyt ti'n 'i feddwl, 'ffys'? Mae isho gneud ffys o'r cena

139

bach . . . '

'Mae o'n saith oed, Lleucu. A dydi bechgyn saith oed ddim isho cael 'u trin fel'na.

'Pwy sy'n deud? Fi ydi'i fam o . . . a . . . a mae'n iawn i mi wneud ffys ohono fo. Nefoedd wen, Iwan, un-waith yr wythnos dw i'n 'i weld o!'

'Mi wn i hynny. Ond . . . ond mae isho bod yn ofalus . . . '

'Does 'na neb yn fwy gofalus na fi . . . '

'Mae peryg bod yn rhy ofalus, Lleucu.'

'*Rhy* ofalus? O, dyna ydi'r broblem rŵan, ia? Mae isho bod yn ofalus, ond ddim yn rhy ofalus . . . '

'Rwyt ti'n gwybod be ydw i'n 'i feddwl, Lleucu . . . '

'Nag ydw, wir . . . Dydw i ddim yn dy ddallt di o gwbwl.'

Anwybyddodd Iwan fy sylw ola, gan droi at y bychan.

'Gwion? Aros efo dy fam am funud bach, nei di? Mi dw i isho mynd i weld rhywun a . . . '

Ro'wn i'n amau ar unwaith:

'Gweld pwy, Iwan?'

'Fydda i ddim dau funud, Lleucu.'

'Mynd i weld Trefor wyt ti, 'te? Dw i'n gwybod eich bod chi'n siarad amdana i . . . yn cynllwynio efo'ch gilydd i wneud rhywbeth i mi . . . Wyt ti'n clywed, Iwan? Iwan, gwranda arna i!'

Roedd o wedi camu'n ei flaen heb gymryd unrhyw sylw ohona i, fel taswn i ddim yn bod. Ond roedd o wedi gadael Gwion efo fi. A dyna oedd yn bwysig. Gafaelais am ysgwydd y bychan er mwyn ei glosio ata i. Ond gwingodd yn rhydd . . .

'Mam! . . . Pam dach chi'n gafal amdana i bob munud, Mam?'

'Wel am . . . am mai fi pia ti, 'te?'

'Ond dydi mama'r bechgyn erill ddim yn gafal amdanyn nhw bob munud. A dydw i ddim yn licio . . . '

'Ond maen nhw efo'u mama drwy'r amser, 'ngwas i.'

'Nag ydyn, siwr. Maen nhw'n 'rysgol, ac allan yn chwara ac yn . . .'

'Ond dim ond ar ddydd Sadwrn dw i'n dy weld di, 'ngwas i.'

'Ia . . . Pryd dach chi'n dod adra, Mam?'

Doedd gen i ddim ateb, ond roedd o'n byrlymu ymlaen:

'Achos . . . dydach chi ddim yn sâl, nag dach? Ddim yn taflyd i fyny a ballu . . . a ddim wedi torri'ch coes, fatha mam Dafydd pan oedd hi'n 'sbyty.'

Rhoddodd andros o gic i ddant y llew unig oedd wedi llwyddo i osgoi'r torrwr lawnt.

'Sbïwch, Mam. Mae'r plu'n fflïo i bob man. Dyna i chi *shot* dda. Fel 'na bydd Mark Hughes yn sgorio i Man Iw. Uffar o foi ydi . . . O! Sori, Mam. Wnes i'm trïo rhegi. Wir yr!'

Ond ro'wn i mor falch ei fod o wedi newid y pwnc: doedd hi ddim o bwys gen i am y rhegi na'r hadau chwyn oedd yn sgrialu ar hyd y lawnt i bryfocio'r garddwr ger y border bach.

Dyna pryd y sylwais i ar Iwan yn dod yn ei ôl . . . efo Trefor. O, na . . . Ydyn nhw wedi penderfynu gwneud rhywbeth heddiw?

'Be sy, Mam? Rydach chi wedi cyffio. Ydach chi wedi gweld rhwbath . . . rhwbath drwg?'

Roedd Gwion yn ceisio canfod be o'n i wedi'i weld, ond cael rhyddhad wnaeth o wrth weld Iwan.

'Peidiwch â phoeni, Mam. Mi fyddwch chi'n iawn rŵan. Mae dad yn dod 'nôl.'

Doedd gan Gwion bach ddim syniad be allai'r ddau ddyn yma 'i wneud i mi.

'Dydw i ddim isho'ch tabledi chi, Trefor. Dw i wedi deud wrtho fo, Iwan. Chymra i monyn nhw.'

'Does gen i ddim tabledi, Lleucu. Isho sgwrs fach ydw i, dyna i gyd.'

'Ydach chi'n siwr nad ydach chi'n 'u cuddio nhw yn eich poced? Wyt ti wedi trefnu efo fo i 'nhwyllo i, Iwan?'

'Naddo, Lleucu. Dydan ni ddim wedi trefnu i dwyllo neb. Ond . . . ond mae Trefor isho gair bach efo ti. A . . . a mi eith Gwion a finna am dro bach i chi gael llonydd. Mi fyddwn ni'n ôl, toc.'

'Na! Gwion, ty'd yma, cariad. Ty'd at Mami. Paid â mynd, Gwion bach. Ty'd yma . . .'

Ond roedd Gwion wedi hen droi'i gefn arna i, ac yn cerdded i ffwrdd efo Iwan pan afaelodd Trefor yn 'y mraich . . .

'Peidiwch! Peidiwch â nghyffwrdd i. Dw i'n eich dallt chi'n iawn. Dw i'n eich dallt chi'ch dau . . . chi ac Iwan. Ond chewch chi ddim 'y nghyffwrdd i. Yr un ohonoch chi. Dim ond Gwion geith 'y nghyffwrdd i. Dim ond Gwion bach geith afael yn 'i fam.'

'Steddwch am funud 'ta, Lleucu.'

Roedden ni wedi cyrraedd mainc ar ochr arall y lawnt.

'Poeni am Gwion ydan ni, Lleucu.'

'Be sy mater arno fo? Ydi o ddim yn sâl, nag ydi? Mae o'n edrych yn iawn i mi.'

'Na, dydi Gwion ddim yn sâl o gwbwl. Poeni ydan ni . . . fod dod yma bob Sadwrn yn gneud dim lles iddo fo . . . nac i chitha, Lleucu.'

'Be ydach chi'n 'i feddwl—'gneud dim lles'? Ydach chi . . . Dydach chi 'rioed . . . O, na . . . Na! Fedrwch chi ddim 'i rwystro fo rhag dod yma. Chewch chi ddim! Fi ydi'i fam o. Mae'n rhaid i mi gael 'i weld o. Fedra i ddim byw os na cha i 'i weld o. Dyna sy'n 'y nghynnal i o wythnos i wythnos . . . '

'Dyna ydi'r drwg, Lleucu. Rydach chi wedi mynd i ddibynnu arno fo. Mae hynny wedi mynd yn obsesiwn i chi. A dydi o'n gneud dim lles i chi . . . nag iddo ynta.'

Ro'wn i'n fud. Ro'wn i wedi deall pob gair roedd o wedi'i lefaru'n bwyllog. A doeddwn i ddim isho derbyn hynny. Ond fedrwn i ddim dadlau efo fo.

'Rydan ni isho i chi wella, Lleucu. Rydan ni'n gwybod fod posib i chi wella. Ond dydach *chi* ddim yn ein helpu ni.'

Dal yn styfnig o'n i, yn gwrthod yngan gair.

'Mi fedrwn ni'ch gorfodi chi i beidio â gweld Gwion am rai wythnosa ac mi fedrwn ni'ch gorfodi chi i gymryd y cyffuria—drwy bigiad, os na chymrwch chi'r tabledi. Mi fydda'n rhaid cael gorchymyn llys i wneud hynny, wn i, ond mater bach fydda hynny.'

Unwaith eto, ro'wn i'n dallt y cyfan, ond yn gwrthod cydnabod hynny.

'Ond pe *baen* ni'n gorfod mynd i lys, fydda hynny ddim o les i chi yn y pen draw. Yma o'ch gwirfodd ydach chi ar hyn o bryd, yng ngolwg y gyfraith. A thra pery hi felly, mi fydd hi'n llawer haws i chi fynd o'ma pan wellwch chi. Dw i'n siwr eich bod chi'n dallt hynny. Dyna pam dw i'n egluro'r cyfan i chi.'

Ydi, mae o'n glyfar iawn, y Trefor 'ma. Ond mae o'n gofyn yr amhosib. Mae o'n disgwyl i mi lyncu'r tabledi 'na, ac yn waeth, peidio â gweld Gwion bach am . . . am . . .

'Am ba hyd y bydda'n rhaid i mi fyw heb Gwion?'

'Does wybod, Lleucu. Mae hynny'n dibynnu pa mor fuan y gwellwch chi. Ond . . . ond dw i'n saff na fydd hynny ddim yn hir, os cytunwch chi efo ni'r tro yma.'

Ro'wn i isho gwella. Ro'wn i isho mynd adre i gael bod efo Gwion bob dydd o'r wythnos. Ond bu'n rhaid i mi lyncu 'mhoeri ddwywaith cyn ateb.

'O'r gora 'ta. Mi gymra i'r tabledi . . .'

Roedd hanner gwên yn cynhyrfu ei wefus isa . . .

'Ond mae'n rhaid i mi gael gweld Gwion.'

Rhoddodd ei law dros ei wyneb mewn rhwystredigaeth, ond ddwedodd o'r un gair am funud neu ddau.

'Iawn, Lleucu. Mi gytunwn ni ar hynny i ddechra. A gawn ni weld sut bydd petha erbyn y Sadwrn nesa.'

Yn dawel, hunanfeddiannol, y cychwynnodd o'n ôl tua'r drysau gwydr. Doedd o prin wedi 'ngadael i pan ymddangosodd Iwan a Gwion ar gyrion pella'r lawnt. Prysurodd y ddau tuag ata i.

'Gest ti air efo fo, Lleucu?'

'Naddo, Iwan. Fo gafodd air efo fi. Lot ohonyn nhw. Ac rwyt titha'n gwybod yn iawn be oedd gynno fo i'w ddeud.'

'Meddwl y bydda'n well i bawb yn y pen draw.'

Doeddwn i ddim am ddadlau efo Iwan o flaen Gwion, er mwyn hwnnw. Mi lwyddais i, hefyd, weddill yr ymweliad, i rwystro'n hun rhag gafael amdano fo. Ond mi gês i roi sws glec fach ar ei foch o, wrth i ni ffarwelio.

'Wela i chi eto'ch dau.'

Ond doedd gen i ddim syniad pryd y byddwn i'n gweld Gwion nesa. Wrth beidio â gafael amdano, ro'wn i wedi penderfynu gwneud 'y ngora glas i gytuno â'u cais nhw—y Sadwrn nesa a phob Sadwrn—er mwyn i mi gael mynd adre . . . er mwyn y ddau ohonon ni.

Wrth wylio Gwion yn sboncian yn hapus allan drwy'r clwydi y teimlais i lwmp mawr yn 'y ngwddw.

* * * * * *

Maen nhw wedi mynd ers hydoedd, ond rydw i'n dal i eistedd ar y fainc yma. Mae ei chefn hi at ddrysau gwydr yr adeilad, a does neb i mewn yn fan'no wedi sylwi be dw i wedi bod yn ei wneud ers iddyn nhw fynd. Rhywbeth nad ydw i wedi'i wneud ers tair blynedd. Ond ew, roedd o'n braf.

Mi arhosa i'n fan'ma am dipyn

bach eto, er mwyn i'n llygaid i sychu'n iawn cyn mynd i mewn at Trefor . . . a'i dabledi.

Y PLISMON

Roedd yr olwg ar 'i wep o'n cyhoeddi newyddion drwg. Dydi plismon ddim yn sefyll ar garreg eich drws chi efo'i het yn ei law yng nghanol mis Chwefror, a rhyw han-ner gwên dosturiol ar ei wyneb, oni bai fod ganddo fo newyddion drwg.

'Ga i ddod i mewn am funud bach?'

Heb yngan gair, agorais y drws led y pen, gan gamu o'r neilltu iddo gael mynd heibio. Roedd cefn ei gôt wedi crychu'n flêr yn ei gar a'i drowsus rhyw fodfedd yn rhy fyr. Safodd wrth ddrws y lolfa i geisio sicrwydd pellach mai yn yr ystafell honno y carwn i glywed ei newyddion drwg. Pam lai? Roedd y gwres canolog ymlaen er nad o'n i wedi cynnau'r tân glo.

'Mae'n well i chi eistedd am funud bach.'

Wrth ufuddhau iddo, meddyliais

pam fod munudau hwn yn llai na rhai pawb arall. Rhywbeth i'w wneud â'i drowsus o, hwyrach.

'Newyddion drwg sy gen i, Mrs Llwyd, mae arna i ofn.'

Roedd wedi syllu i fyw fy llygaid i gyhoeddi'r hyn ro'wn i'n ymwybodol ohono ers meitin, ond trodd i edrych ar dân oer y lolfa cyn manylu. Ro'wn i'n teimlo nerfau fy stumog yn tynhau, gan 'mod i eisoes lawer cam o'i flaen: Iwan wedi cael damwain ar y rhew ... damwain ddifrifol ... damwain angheuol, o bosib ... ar ei ffordd i'r gynhadledd fwrw'r Sul yn Yr Wyddgrug.

'Mae arna i ofn fod eich gŵr wedi bod mewn damwain ddifrifol iawn ... ar allt Rhuallt, yng Nghlwyd ... lorri *artic* yn dod i lawr i'w gyfarfod o ... a ... a doedd ganddo fo ddim gobaith dod ohoni ... yn fyw. Mae'n ddrwg iawn gen i ...'

Syllais innau ar dân oer y lolfa, a gweld Iwan yn gwenu arna i rhwng ei gap a'i sgarff wrth adael y tŷ y bore 'ma. Roedd o'n gwenu wrth ffarwelio bron bob bore, ond byth yn rhoi cusan i mi, chwaith.

Roedd geiriau'r plismon ifanc yn atseinio'n 'y mhen: damwain ddifrifol iawn . . . lorri *artic* . . . dim gobaith dod ohoni'n fyw . . . Plethais 'y mreichiau'n dynn amdana i wrth deimlo'r ystafell yn oeri o 'nghwmpas.

Roedd Iwan a finna wedi bod yn ffrindiau da ers i mi ddod adre o'r ysbyty meddwl, dros ddeng mlynedd yn ôl. Ond er ein bod ni'n dal i rannu'r un ystafell wely, gwlâu sengl oedd gynnon ni, erbyn hyn. Ac roedd un gwely'n ormod yno, bellach . . .

Doeddwn i ddim yn ymwybodol o'r plismon ifanc oedd yn eistedd bron gyferbyn â mi wrth i benodau sydyn o flynyddoedd diwetha ein priodas fflachio o flaen 'y meddwl . . .

Roedd Iwan wedi dygymod â'r gwlâu sengl yn ddirwgnach, chwara teg iddo fo. Roedden ni wedi adfer yr hen gyfeillgarwch a arferai fod rhyngon ni yn y coleg, pan o'n i'n canlyn Gwynedd ers talwm. Perthynas o ddealltwriaeth, o dynnu coes a rhannu gofidiau oedd hi eto, erbyn hyn—heb rannu popeth. Yr unig adegau annifyr rhyngon ni oedd y diwrnodau pan arferwn orfod golchi'r staeniau oddi ar flaen ei drowsus pyjamas. Mae'r broblem honno wedi peidio bellach, ers tro byd.

Go brin fod gwraig y plismon ifanc yma'n ymwybodol o broblem felly— os ydi o'n briod, wrth gwrs.

'Oes gynnoch chi rywun . . . rhywun ddaw atoch chi, Mrs Llwyd . . . teulu, felly?'

Roedd yn rhaid i mi ddweud rhyw-beth rŵan, am y tro cynta ers iddo ddod i'r tŷ:

'Mae Gwion, y mab, yn y coleg yng Nghaerdydd . . .'

'Mi fydd angen cysylltu efo fo, wrth gwrs . . .'

Wrth gwrs. Ac mi fydd hyn yn

gymaint o ergyd iddo fo ag ydi o i mi. Mae o wedi bod yn agos iawn at ei dad dros y blynyddoedd, fel pe bai'r ddau'n dallt ei gilydd yn iawn. Dyna'r peth cynta a sylwais ar ôl dod adre o'r ysbyty—fod yna ryw ddeall-twriaeth gyfrin rhyngddyn nhw.

Roedd Gwion fel tae o wedi ymbell-hau oddi wrtha i yn ystod y mis y bu'n rhaid i mi fyw heb ei weld o'r adeg honno. Uffern o fis oedd hwnnw: mis o uffern. Ond roedd cymryd y tabledi'n rheolaidd wedi 'nghynorthwyo i wynebu'r Sadyrnau heb ei weld, tra bo'r ewyllys i fynd adre wedi bod yn gymorth i wella, a phan wnes i gyfadde am y crio, roedden nhw'n honni fod hynny'n elfen bwysig, hefyd.

Pam nad ydw i'n crio, rŵan? Mae 'ngŵr i wedi marw . . . wedi'i ladd . . . mewn damwain ddifrifol iawn . . . lorri *artic* . . . dim gobaith dod ohoni'n fyw . . . a dydw i ddim yn crio. Mae'n siwr fod y plismon bach 'ma'n disgwyl i mi grio.

'Ydach chi am i *ni* gael gafael yno fo, Mrs Llwyd . . . yng Nghaerdydd . . . fydda'n well gynnoch chi . . . ?'

'Wnewch chi . . . os gwelwch chi'n dda?'

Cachwr, meddwn i wrthaf fy hun, yn yr un gwynt. Ond fedrwn i ddim wynebu dweud wrth Gwion ar y ffôn.

Y gamp fawr ar ôl dod adre o'r ysbyty oedd ymgadw rhag rhoi gormod o sylw i Gwion—peidio â'i fwytho fo, peidio â'i fagu ar 'y nglin fel cynt. Ond ro'wn i'n gwneud 'y ngora glas i ddilyn y canllawiau a osodwyd i mi, er ei fwyn o yn fwy nag er 'y mwyn fy hun. A bu'n rhaid iddo yntau aeddfedu'n gynnar iawn. Chafodd yr un bachgen gystal magwraeth gan ei dad.

'Rhannu fflat mae o, ym Mhlasturton Avenue . . . ac maen nhw newydd gael ffôn yno. Mae'r rhif gen i yn y cyntedd.'

Ro'wn i'n clywed fy hun yn dweud y manylion fel peiriant ateb.

'Mi gymra i o yn y munud, felly. A rhif y tŷ, hefyd, Mrs Llwyd. Oes 'na rywun arall . . . chwaneg o blant?'

Tcimlais biccll iasoer yn mynd i lawr fy asgwrn cefn. Roedd rhywun yn cerdded ar 'y medd innau. Biti na fyddwn i wedi cynnau'r tân yma. Dydi gwres canolog ddim cystal, rywsut.

'Nag oes, neb arall. Unig blentyn ydi Gwion . . . fel 'i fam, o ran hynny . . .'

Ond mae gan Iwan ddau frawd sy'n hŷn na fo, a'r ddau'n gweithio i ffwrdd yn Lloegr, yn rhywle. Hanner cant union oedd Iwan y llynedd, ac yn gwamalu bryd hynny mai dim ond ugain mlynedd arall oedd ganddo ar ôl . . .

'Be am ffrindia 'ta, Mrs Llwyd? Rhywun ddaw atoch chi am chydig?'

'Oes . . . am wn i. Mae hi'n llyfr-gellydd yn y dre 'ma. Mi ffonia i hi ar ôl pump, wedi iddi gyrraedd adre.'

'Dyna chi, 'ta. Mae hi wedi pedwar yn barod.'

Wedi pedwar . . . Mi fyddai Iwan adre o'r ysgol erbyn hyn ar nos Wener yn y gaea. Fo fyddai'n cynnau'r tân yma i mi gyda'r nos. Honni fod y fflamau'n gwmni i mi tra byddai yntau'n mynd allan am 'i beint arferol. Dydw i ddim yn edliw ei un noson yr wythnos iddo fo . . .

Mae'n siwr y byddai wedi cael 'i beint wythnosol heno hefyd, yn Yr Wyddgrug. Chymerais i fawr o sylw pa westy ddwedodd o'i fod o'n aros ynddo . . . Bron Awen neu Bryn Awel neu rywle . . . Roedd o wedi addo'n ffonio i heno, i roi rhif y gwesty . . . rhag ofn y byddwn i angen cysylltu efo fo ar frys . . .

'Mynd i ffwrdd i weithio . . . oedd eich gŵr?'

'Ia. Cynhadledd efo'i waith. Penwythnos i drafod y cynlluniau addysg trydyddol newydd i'r sir 'ma, ac i gymharu dulliau Gwynedd a Chlwyd o weithredu'r cynlluniau. Mae o'n . . . *Roedd* o'n bennaeth adran yn yr ysgol uwchradd. Doedd o ddim yn cytuno efo'r busnes adrefnu 'ma. Rhywbeth yn hen ffasiwn ynddo fo . . . '

'Ydyn, maen nhw'n newid popeth heddiw, tydyn, Mrs Llwyd?'

'Popeth fedran nhw. Lleucu ydi'r enw. Lleucu Llwyd ar ôl priodi, goeliwch chi? Ond mae'n debyg eich bod chi'n rhy ifanc i gofio'r gân honno ers talwm?'

Doeddwn i ddim yn siwr ai cadarn-hau 'i fod o'n rhy ifanc, ynteu ei fod yn ei chofio, oedd ei fymryn gwên. Ond roedd hi'n amlwg fod ganddo ddigon o amser i'w dreulio'n cyhoeddi ei newyddion drwg, chwara teg iddo. Doedd o ddim am ruthro i ffwrdd a 'ngadael i yn 'y ngalar. Ac mae'n rhaid i mi gydnabod 'mod i'n falch o hynny.

'Ga i neud paned i chi, Mr . . . ?'

'Jones. Hefin Jones. Peidiwch â gwneud un yn arbennig i mi. Ond os ydach chi am gael un eich hun, mi gymra i un efo chi.'

Mi fyddwn i wedi estyn y llestri newydd i ddieithryn, fel arfer, ond roedd cymar 'y nghwpan i wrth law yn y gegin—ac yn sbâr, heddiw.

'Paned yn dda, bob amser, Mrs Llwyd . . . Lleucu.'

'Mae'n siwr eich bod chi'n yfed dipyn ohonyn nhw mewn diwrnod, Hywel.'

'Amrywio . . . dibynnu lle bydda i. Does dim cyfle o hyd, ond mi yfa i alwyni yn y swyddfa, 'cw.'

Roedd o'n dechra gwingo'n ei gadair cyn diwedd y baned, a'i sgwrs wedi mynd yn brin iawn.

'Mae'r tŷ bach yn y cyntedd, Hywel, os ydach chi . . . .'

'Na, na. Dw i'n iawn, diolch.'

Ond roedd hi'n amlwg fod rhywbeth yn ei boeni.

'Pryd . . . pryd ddudoch chi y bydd

eich ffrind ar gael . . . i ddod atoch chi, Mrs Llwyd?'

'Wel . . . mi ffonia i hi toc ar ôl pump. Ond doeddwn i ddim wedi bwriadu iddi ddod yma.'

Crychodd ei dalcen, drachefn.

'Gwrandwch, Hywel. Does dim rhaid i chi aros yma tan hynny. Mi fyddwn i'n fwy diolchgar pe baech chi'n trefnu i adael i Gwion wybod . . . am ei dad.

'O, mi wnawn ni hynny'n syth yr a i 'nôl i'r steshion.'

'Dyna ni, felly, Hywel. A diolch i chi am . . . am fod mor . . . mor . . . dach chi'n gwybod be dw i'n 'i feddwl.'

Roedd o wedi cyflawni'i genadwri'n daclus iawn, chwara teg iddo fo, er 'i fod o'n ymddangos braidd yn ifanc i ysgwyddo'r fath gyfrifoldeb. Ro'wn inna'n teimlo 'mod i wedi ymddwyn cystal ag y gallwn i o dan yr amgylchiadau, a heb wneud petha'n rhy anodd iddo fo . . .

'Mae 'na . . . mae 'na un peth arall, Mrs Llwyd.'

Edrychais yn syn arno fo. Be arall allai fod yn 'i boeni? Pa neges arall allai fod ganddo i 'mhoeni i? Roedd Iwan wedi'i ladd . . . mewn damwain car . . . Ro'wn i wedi colli 'ngŵr . . . y dyn oedd wedi bod yn gyfaill agos i mi ers deng mlynedd ar hugain . . . a thad fy unig blentyn . . .

'Oedd Mr Llwyd wedi trefnu rhoi pas i . . . i rywun arall y bore 'ma?'

'Nag oedd, am wn i . . . Nag oedd, yn bendant. Dw i'n cofio gofyn iddo fo a oedd rhywun yn mynd efo fo o'r ysgol. Nag oedd, medda fo. Doedd neb arall o'r staff yn mynd i'r gynhadledd. Un o bob ysgol. Pam? Pam oeddech chi'n holi?'

'Roedd 'na rywun arall yn y car efo fo.'

'Nag oedd, 'rioed! Ydi . . . ydi hwnnw'n fyw?'

'Nag ydi, mae arna i ofn. Roedd yr *artic* wedi croesi'r ffordd . . . '

162

'Pwy oedd o, felly? Ydw i'n 'i nabod o?'

'Gwraig oedd hi, Mrs Llwyd.'

'Gwraig? Gwraig pwy?'

'Gwraig o Landudno . . . Mrs Judy Thomas.'

'Oedd hi'n mynd i'r Gynhadledd hefyd? Chlywais i 'rioed amdani. Athrawes oedd hi? Yn Y Creuddyn?'

'Dydan ni ddim yn siwr iawn, eto. Rydan ni wedi methu cysylltu â'i gŵr. Mae'n debyg . . . mae'n debyg 'i fod o wedi'i . . . wedi'i . . . gadael hi cyn y Dolig. A does neb wedi'i weld o ers hynny.'

'Wedi'i gadael hi? Pam? Pam 'i fod o wedi'i gadael hi?'

'Dydan ni ddim yn gwybod hynny, Mrs Llwyd.'

Doedd gan dân oer y lolfa ddim esboniad am y dirgelwch, chwaith. Ond roedd hi'n amlwg fod y plismon yn tybio fod rhyw ddrwg yn y caws.

'Ama fod . . . fod rhywbeth rhwng Iwan a . . . a'r ddynes 'na dach chi?'

'Fyddwn i ddim yn honni dim byd o'r fath, Mrs Llwyd.'

'Na fyddech, mwn! Ddim yn *honni* dim byd ... Dim ond awgrymu'n slei bach ymysg eich gilydd ...'

'Mae'n ddrwg gen i, Mrs Llwyd, ond ...'

'Mêl ar eich bysedd chi, tydi? Unrhyw sgandal ...'

'Hwyrach 'i bod hi'n well i mi fynd, rŵan ...'

'Faint ydi'ch oed chi, Hywel?'

Edrychodd yn syn arna i cyn ateb:

'Saith ar hugain.'

'Ydach chi'n briod?'

'Ydw.'

'Plant?'

Roedd o'n dal braidd yn syn, ond yn ateb yn amyneddgar:

'Un eneth fach.'

'Faint ydi'i hoed hi?'

'Tair.'

'Tair ar ddeg fydda 'ngeneth i, tae hi wedi cael byw.'

'Wyddwn i ddim, Mrs Llwyd.'

'Na wyddech, dw i'n gwybod. A wyddech chi ddim chwaith 'mod i wedi treulio naw wythnos mewn ysbyty meddwl ddeg mlynedd yn ôl. A 'mod i ddim wedi cysgu efo 'ngŵr ers hynny.'

Roedd o'n astudio'r fodfedd rhwng gwaelod ei drowsus a'i esgidiau.

'Felly, pan fyddwch chi a'ch mêts yn rhannu'r jôc nesa am fywyda personol pobol sy wedi marw, 'styriwch y galla fod 'na reswm dros 'u hymddygiad nhw.'

Chododd o mo'i ben wrth ymateb:

'Mae'n ddrwg gen i, Mrs Llwyd. Mae'n wir ddrwg gen i.'

Wrth iddo gychwyn am y drws, ysgrifennais gyfeiriad a rhif ffôn Gwion ar ddalen lân o'r llyfr nodiadau oedd yn y cyntedd. Estynais y papur iddo heb yngan gair. Diolchodd yn gwrtais a chau'r drws ar ei ôl.

Teimlais innau awel fain Chwefror yn meddiannu'r cyntedd cyn i mi droi'n ôl am y lolfa i hebrwng y ddwy baned wag i'r gegin. Tywalltais ddŵr poeth o'r tap dros y cwpanau a'r soseri, yn hytrach na'u golchi'n iawn, a'u gadael i sychu'u hunain. Eistedd, wedyn, wrth fwrdd y gegin gan bwyso 'mlaen a chuddio 'ngwyneb yn 'y nwylo.

Byrlymai gwahanol syniadau ac ensyniadau drwy fy meddwl: roedd Iwan wedi marw . . . ac roedd gwraig arall yn y car efo fo. Doedd o ddim wedi sôn amdani. Ai gwneud cymwynas munud ola iddi oedd o? Ai cuddio'r ffaith eu bod nhw'n cyddeithio rhag i mi amau'r gwaetha, er nad oedd unrhyw berthynas rhyngddyn nhw? Ynteu a oedd o wedi canfod rhywun i'w gysuro'n feddyliol a chorfforol gan 'mod i wedi methu . . . ?

Mae'n siwr mai amau'r gwaetha fyddai rhai—fel y gwnaeth y plismyn, debyg. Ond pa fusnes oedd hynny iddyn nhw, beth bynnag? Dichon ei bod hi'n ormod gobeithio na fyddai Gwion yn clywed amdani, gan fod y wasg yn siwr o gyhoeddi digon i hau pob math o amheuon. Be fyddai hwnnw'n 'i feddwl o'i dad, wedyn?

Mae ugain mlynedd ers i Iwan geisio cambyhafio efo'r athrawes Saesneg honno—cyn geni Gwion. Mae hitha wedi hen fudo i'r De ers blynyddoedd. Chefais i'r un awgrym fod Iwan yn ymhel dim â neb ers hynny, a chafodd yntau fawr o gyfle i wneud. Dim ond ar nos Wener, hwyrach . . . os mai ati hi roedd o'n mynd yn hytrach nag at ei fêts. Ac ambell i fwrw'r Sul prin dros y blynyddoedd, er bod y cyrsiau hynny'n digwydd yn amlach yn ddiweddar . . .

'Hylo, Gwilym. Ydi . . . ydi Gwerfyl yna os gweli di'n dda?'

Roedd hi'n nes at chwech o'r gloch arna i'n codi o'n synfyfyrio i ffonio fy nghyfaill oes. Ond roedd hi wedi picio i'r dre ar ôl gwaith.

'Gofyn iddi roi galwad i mi, nei di? Diolch, Gwilym.'

Fedrwn i ddim dechra dweud yr hanes wrth gydathro Iwan, ond mae'n siwr y byddai yntau'n clywed y newyddion ar y teledu ymhen ychydig funudau. Rhyfedd na fyddai rhywun yn yr ysgol wedi clywed yn barod . . . oni bai fod Gwilym ofn gwthio'r cwch i'r dŵr oherwydd yr amgylchiadau. Na, roedd o'n swnio'n bur ddifater ar y ffôn.

Cyn hanner awr wedi chwech roedd Gwerfyl yn rhannu paned efo fi wrth fwrdd y gegin—paned roedd hi wedi mynnu'i gwneud ei hun. Wnaeth hi ddim ffonio. Daeth draw yn syth ar ôl gweld y newyddion.

'Wyddost ti rywbeth am y ddynes 'na, Gwer?'

'Fawr iawn, cofia. Rhyw fath o ymgynghorydd iaith ddudon nhw ar y bocs.'

'Oedd hi . . . oedd hitha'n mynd i'r gynhadledd?'

'Oedd, am wn i.'

'Wyt ti'n meddwl fod . . . fod 'na

168

rywbeth rhwng Iwan . . . a hi.'

'Go brin, Lleucu. Sut galla 'na fod?'

'Ia, yntê?'

'Doedd Gwil acw'n gwybod dim byd, bcth bynnag. Mi ofynais i iddo fo . . . rhag ofn . . . ar ôl be ddigwyddodd ers talwm . . . Ond doedd o'n gwybod dim.'

Doedd Gwerfyl, chwaith, ddim yn gwybod y cyfan.

'Na, go brin, Lleucu. Sut galla 'na fod rhywbeth rhyngddyn nhw?'

Er mai hi oedd fy ffrind penna, ddwedais i erioed wrthi am y gwlâu sengl, nag am yr hyn na ddigwyddodd ynddyn nhw ers yr holl flynyddoedd. Doeddwn i erioed wedi sôn gair wrth neb am hynny—dim ond y plismon.

Ac roedd hi'n ymddangos, bellach, fod yna un gyfrinach na fyddwn innau'n cael gwybod amdani, chwaith.

Y GIST

Nefoedd yr adar! Byddwch yn ofalus, neno'r tad! Be ydach chi'n ei feddwl ydach chi'n ei godi—hen fuwch?

Sadiodd y gist rhyw dipyn am eiliad, cyn dechra symud yn herciog linc-di-lonc unwaith eto. Chwara teg rŵan, fechgyn, dydw i ddim isho bod yn sâl môr, ddim i mewn yn fan'ma.

Doedd dim perthynas o gwbwl rhwng rhythmau'r symud a chyfeiliant yr organ. Marciau tila iawn fyddai'r pedwar yma wedi'u cael yng nghystadleuaeth *Come Dancing,* ers talwm.

Fyddai'r canu a glywais i'n gynharach ddim wedi ennill yr un gystadleuaeth gorawl, chwaith. Gwan iawn oedd y côr, gydag ambell i lais aflafar yn ei morio hi: wedi ymarfer, droeon, dros y blynyddoedd, ond fawr nes i'r lan. Ambell un arall dibrofiad yn mwmian y geiriau heb fawr o glem am yr alaw.

Un felly oedd Gwion, a phrin y clywn i 'i lais o, hyd yn oed, er mai fo oedd yr agosa at 'i fam yn ystod y gwasanaeth—yn ôl pob tebyg. Chlywais i mo llais ei wraig o gwbwl, na'r plant o ran hynny—ar wahân i ambell sibrydiad na fedrwn i mo'i ddirnad yn ystod y weddi. Ond dyna fo, doedd dim disgwyl i mi eu clywed nhw'n canu emynau Cymraeg—hyd yn oed yn angladd eu nain. Chlywodd eu nain mohonyn nhw'n siarad Cymraeg erioed.

Dyna well! Maen nhw wedi 'ngollwng i lawr yn rhywle am sbelan —yn yr hers, mae'n siwr. Ys gwn i pwy gawson nhw i 'nghludo i? Doedd hi ddim yn hawdd cael pedwar, beryg: Gwilym, gŵr Gwerfyl, oedd un, decini; Dewi, ffrind penna Iwan, pan oedd hwnnw'n fyw, oedd un arall, o bosib; ond mae'r betio'n agored iawn wedyn, 'ddyliwn.

Gan nad oedden nhw'n dweud fawr ddim wrth 'y nghludo i—dim

ond ambell i ebychiad o dan y straen—doedd hi ddim yn hawdd dyfalu pwy oedd y pedwar. Dichon fod ambell un mewn oed go fawr neu wedi smocio ar hyd ei oes, i achosi'r fath ebychu. Go brin fod 'y mhwysau i'n cyfiawnhau hynny; doedd yna fawr ohona i i'w gludo, erbyn y diwedd.

Y nefoedd, mae'r drysau yma'n swnllyd! Faint o gerbydau sydd i ddilyn, felly, os oes cymaint o ddrysau i'w cau? Prin hanner dwsin o'n i'n ei ddisgwyl ar y mwya. Oni bai fod pob pry wedi dod allan o'r pren i fusnesa.

Dydyn nhw ddim wedi gweld llawer ohona i'n ddiweddar. Dydyn nhw ddim wedi gweld llawer ohona i ers claddu Iwan, a dweud y gwir. Doeddwn i ddim yn un am hel tai cyn hynny, ond wedi'r dirgelwch ynglŷn â'r ddynes oedd yn 'i gar adeg y ddamwain, prin 'mod i am gael 'y nghroesholi'n ormodol gan bob trwyn yn y gymdogaeth.

Chlywodd neb na siw na miw am ŵr y ddynes, er gwaetha cryn holi amdano yn y wasg. Ac mi fethodd Gwerfyl a'i gŵr ddatrys y dirgelwch a fyddai'n dileu neu gadarnhau'n amheuon inna am ei pherthynas ag Iwan.

Doedd Gwion ddim yn ddrwgdybus o gwbl, hyd y gwn i, gan nad oedd o wedi'i eni adeg helynt yr athrawes Saesneg, a chan na wyddai am ddiffyg perthynas rywiol ei rieni yn ddiwedd-arach. Ro'wn i wedi'i argyhoeddi ers blynyddoedd mai gwendid yn 'y nghefn oedd yn gyfrifol am y ddau wely sengl yn y llofft.

Mae gwely'r gist 'ma'n dda i gefn rhywun, decini. Chlywais i neb erioed yn cwyno amdani, beth bynnag. Braidd yn gul, hwyrach, ond solet iawn i orwedd arni. A phrin y bydda i angen troi a throsi rhyw lawer.

Y nefoedd! Bu bron i mi gael 'y nhroi ar fy ochor, rŵan! Ydi'r gyrrwr yma wedi pasio'i braw', dwch? Er, dydw i ddim yn cofio gweld 'L' fawr goch ar unrhyw hers, chwaith. Ar y llaw arall, go brin y byddai'r heddlu yn stopio gyrrwr hers i weld ei drwydded. Na, mae'n debyg y gallai rhywun yrru hers heb drwydded gydol ei oes heb gael ei ddal.

Dyma ni'n arafu: bron â chyrraedd, gobeithio. Fûm i erioed yn dda am deithio, ac yn waeth mewn car na bỳs am ryw reswm. Dydw i ddim wedi bod am dro yn un o'r rhain o'r blaen, ond fyddwn i ddim yn dymuno teithio'n bell ynddi, chwaith. Roedd Iwan yn arfer dweud ers talwm mai'r gyf-rinach i beidio â thaflu i fyny wrth deithio oedd syllu 'mhell yn hytrach na chraffu'n agos. Ond mae hynny'n anodd heddiw.

Ro'wn i'n amau! Dydi Cled Claddu byth wedi trin 'i frêcs. Er gwaetha'r holl fusnes mae o'n 'i wneud, dydi o'n gwario dim ar drin yr hers 'ma. Ac eto, hwyrach 'i fod o'n rhy brysur i fynd â hi i'w thrin. Hen beth cas fyddai cadw rhywun fel fi i ddisgwyl am ddyddiau am fod yr hers yn y garej yn cael brêcs newydd.

Rŵan 'ta. Dyma ni wedi cyrraedd. Sut maen nhw'n mynd i'n symud i o fan'ma? Pwyll pia hi, fechgyn. Rydw i wedi cyffio, braidd, ar ôl y siwrna. Mae 'na dipyn o ffordd eto i gornel bella'r fynwent, gan fod y lle 'ma wedi mynd mor boblogaidd. Mae'n dda 'mod i wedi dod yma leni, a dweud y gwir. Fyddai 'na ddim blewyn glas ar ôl mewn blwyddyn neu ddwy.

O'r clown! Dw i'n dechra drysu. Doedd dim angen llecyn newydd, siwr. Mae Iwan yn cadw lle i mi ers chwe blynedd. Chwara teg iddo fo. Mae'n rhyfedd meddwl y bydda i'n nes ato fo rŵan nag o'n i'n y llofft acw, ers talwm.

Be ydi'r sŵn yna? Fel tae rhywun yn taro'r gist yn ysgafn a chyson. Mae o'n ddigon tebyg i'r sŵn ro'wn i'n 'i glywed yn 'y ngwely pan o'n i'n eneth fach, adre efo mam. Ro'wn i'n credu,

175

bryd hynny, fod y tylwyth teg yn curo'r nenfwd arna i ar lawer bore o haf. Ond erbyn dallt, adar y to oedd yn hel eu tamaid yn y bondo. Go brin mai'r adar sydd wrthi rŵan. Ydi'r tylwyth teg wedi cyrraedd o'r diwedd, tybed?

Glaw ydi o, siwr iawn. Diferion glaw sy'n taro'r gist. Wel, un cysur ydi mai fi fydd yr unig un na wnaiff wlychu heddiw. A dydyn nhw ddim yn debygol o 'nghadw i ddisgwyl rhyw lawer chwaith. Gwasanaeth byr ac i bwrpas gawn ni, iddyn nhw gael 'i heglu hi o 'ma cyn i'r diferion gwlyb ddechra treiglo i lawr eu gwar.

Byrra i gyd, gora i gyd, ddwedwn i. Fydd dim angen rwdlan am hydoedd, gan chwilio a chwalu am rywbeth da i'w ddweud amdana i, ac osgoi be ddigwyddodd go iawn. Bu bron i mi wenu'n y capel wrth glywed yr hen Barch yn mynd trwy'i betha. Roedd o'n hynod o glên, chwara teg iddo fo, ond fedra fo'n ei fyw gydnabod mai yno o'm dewis fy hun o'n i.

Mi soniodd o droeon am dristwch a thrychineb, damwain a thrasiedi, ac fel roedd Iwan a minna wedi dod i ddiwedd ein siwrna cyn pen y daith. Ond mi lwyddodd o i osgoi amgylchiadau amheus diwedd siwrna'r ddau ohonon ni yn gelfydd iawn.

A dyna'r siwrna yna drosodd, hefyd. Eiliad neu ddwy o saib rŵan, cyn mynd i lawr y lifft. Does dim peryg i hon fynd yn styc! Roedd yn gas gen i liffts, ers talwm. A mynd i lawr oedd y gwaetha bryd hynny hefyd.

Gan bwyll, eto fechgyn . . . Dyna ni . . . wedi cyrraedd . . . diolch yn fawr. I fan'ma y penderfynais i ddod, wythnos diwetha, pan aeth petha'n drech na fi am y tro ola.

Doedd dim llawer o bwrpas rhygnu 'mlaen ar ôl i Iwan ddod i fan'ma. Roedd o wedi bod yn garedig iawn ar ôl i mi ddod o'r ysbyty meddwl—pa berthynas bynnag oedd rhyngddo a'r ddynes o Landudno erbyn y diwedd. Mi fûm i'n pendroni llawer am hynny. Dyna oedd ar 'y meddwl i yn oriau mân y nosweithiau di-gwsg. Ac mi fu llawer o'r rheini.

Anaml iawn y deuai Gwion adre i ymweld â'i fam ar ôl gadael coleg. Roedd o wedi canfod rhywun arall i olchi'i dronsiau a smwddio'i grysau yn fan'no, er 'i fod o'n honni ei bod hi'n fwy ffasiynol iddo wneud hynny ei hun y dyddiau yma. Hwyrach ei fod o'n cadw draw o'r hen gartra am ei fod o'n sylweddoli fod clywed iaith fain Susan a'r plant ar yr aelwyd acw'n fwy o loes nag o fendith i mi.

Fel hen ffrind er pan oedden ni'n dwy'n ddim o beth, Gwerfyl oedd yn ymboeni fwya amdana i. Roedd hi'n swnian bob wythnos y dylwn i fynd i weld y meddyg am nad o'n i'n bwyta fawr ddim. Ond bob tro y clywn i'r bregeth fod rhaid bwyta i fyw, ro'wn i'n cael y gras i beidio â gofyn iddi pa bwrpas oedd bwyta i farw?

Yfed i farw wnes i, mewn gwirionedd. Nid yfed am wythnosau, neu fisoedd, fel alcoholic, er 'mod i wedi dod yn reit hoff o'r botel jin ers blwyddyn neu ddwy. Ond yfed digon un noson i wynebu llond potel o dabledi o'n i wedi'u cael at y diffyg cwsg ac yfed digon wedyn i'w golchi nhw i gyd i lawr yn ddidrafferth.

'Cwsg esmwyth potes maip' oedd mam yn arfer ei ddweud ers talwm. 'Cwsg esmwyth potel nain' gês inna'n y diwedd: dwy botel, a dweud y gwir—potel dabledi a photel jin. Canu o'n i'n arfer 'i wneud yn 'y niod, pan o'n i'n eneth ifanc ers talwm. Ond mae dyddiau'r canu drosodd ers tro byd.

Bron na fyddwn i'n rhoi cymorth bach i'r rhain sydd wrthi rŵan uwch 'y mhen i, hefyd. Maen nhw ddigon o'i angen o. Canu sobor, a dweud y gwir. Ond dyna fo, canu sobor ydi o wrth gwrs. Nid y morio canu roedden ni'n 'i wneud yn nhafarnau Bangor Ucha, ers talwm. Digon diniwed

oedden ni 'radeg honno, mewn gwir-
ionedd, er ein bod ni'n credu'n amal
fod gwrthryfel y cenedlaethau yn
berwi yn ein gwaed.

Y nefoedd! Ydi'r hen Barch am 'y
nychryn i o' ma? 'Pridd i'r pridd,'
wir: roedd honna'n swnio fel andros
o graig yn diasbedain ar gaead y gist.
Taro plât yr enw wnaeth o, debyg.
Beth petai o wedi tolcio hwnnw, a
difetha un o'r llythrennau?

Addas iawn, 'rhen Barch, os llwydd-
och chi i daro a tholcio'r 'U':
LLE CU LLWYD
Dyna'r union le yr ydw i wedi bod
yn chwilio amdano ers blynyddoedd,
'rhen Barch. Lle cu i mi gael llonydd,
wrth i'ch lleisiau chi i gyd bylu a
chilio o lan y bedd. Lle cu, llwyd a
thywyll, tebyg i'r un y dois i ohono,
hanner cant a phump o flynyddoedd
yn ôl.

Mi fydda i'n iawn, rŵan. Rydw i
wedi cael 'bod yn llonydd . . . mewn
tywyllwch clyd' . . . unwaith eto. Ond

dydw i ddim yn rhy siwr, erbyn hyn,
'mod i'n dymuno bod yn 'wlyb i gyd
eto, ryw ddiwrnod' . . .

Hefyd gan Eifion Lloyd Jones:

NI FREUDDWYDIODD Gruffydd Owen y byddai treulio un wythnos nefolaidd ym Morth y Gest yn effeithio ar batrwm gweddill ei fywyd. Ac eto, pe *medrai* fod wedi rhagweld, tybed a fyddai wedi ymatal rhag godinebu? Un funud fach o bleser benthyg, ond oes o fyw gyda'r atgof . . . a'r canlyniadau.

0 86243 201 4

Pris £3.95

Mae rhestr gyflawn o holl gyhoeddiadau'r Lolfa yn ein Catalog 80-tudalen. Mynnwch yn awr eich copi personol, rhad trwy anfon gair at:

TALYBONT
CEREDIGION
SY24 5HE
ffôn (0970 86) 304
ffacs 782